14,95$

D0679998

Nous remercions le ministère du Patrimoine canadien,
la SODEC et le Conseil des Arts du Canada
de l'aide accordée à notre programme de publication

 Patrimoine   Canadian
canadien   Heritage

 Conseil des Arts   Canada Council
du Canada   for the Arts

ainsi que le gouvernement du Québec
– Programme de crédit d'impôt
pour l'édition de livres
– Gestion SODEC.

Nous reconnaissons l'aide financière
du gouvernement du Canada
par l'entremise du Programme d'aide au développement
de l'industrie de l'édition (PADIÉ) pour ce projet.

Illustration de la couverture :
Annick Poirier, colagene.com

Conception de la maquette :
Mélanie Perreault et Ariane Baril

Montage de la couverture :
Grafikar

Édition électronique :
Infographie DN

Dépôt légal : 3ᵉ trimestre 2008
Bibliothèque nationale du Canada
Bibliothèque nationale du Québec

1234567890 IML 098

Héronia

DU MÊME AUTEUR :

Aux Éditions de la Paix

Suzanne, ouvre-toi, 2004
Votez Gilbarte, 2004
Mélodie et la Fontaine, prix Excellence 2005
Le clan Rodriguez, 2006

Aux Éditions *Messagers des Étoiles*

Bénigne et Robert, 2005

Aux Éditions de l'AS

Calme-toi, Frédéric ! 2007
Mais où est passé Anatole ? 2007
Fiona ! Tu exagères ! 2008

Catalogage avant publication de Bibliothèque et Archives Canada

Steinmetz, Yves

    Héronia

    (Conquêtes ; 117. Roman)
    Pour les jeunes de 14 ans et plus.

    ISBN 978-2-89633-095-9

    I. Poirier, Annick. II. Titre III. Collection : Collection
    Conquêtes ; 117. IV. Collection : Collection
    Conquêtes. Roman.

PS8637.T45H47 2008   jC843'.6   C2008-941408-X
PS9637.T45H47 2008

Yves Steinmetz

Héronia

roman

**ÉDITIONS
PIERRE TISSEYRE**
www.tisseyre.ca

9300, boul. Henri-Bourassa Ouest, bureau 220
Saint-Laurent (Québec) H4S 1L5
Téléphone : 514-335-0777 – Télécopieur : 514-335-6723
Courriel : info@edtisseyre.ca

*À Daniel Thonon,
qui est à la musique
ce que j'aimerais être
à la littérature.*

1

Marc Hautbuisson savoure ses derniers jours de vacances de la manière qu'il préfère. Vautré sur son matelas pneumatique, flottant mollement sur les eaux tranquilles de la Rivière-aux-Souches.

Il rame des deux mains, à contre-courant, jusqu'à l'embouchure du ruisseau Delorme. Il n'ira pas plus haut, parce que la rivière, en amont, devient marécageuse. On s'y empêtre dans les quenouilles et les sagittaires. Là-haut, c'est le royaume des grenouilles, des tortues et des rats musqués.

Un léger tourbillon indique à Marc qu'il a atteint le ruisseau. Il n'a plus qu'à se laisser descendre jusqu'au Rapide-à-Lampron. Le trajet n'est pas très long, trois cents mètres au plus, mais demande au moins dix bonnes minutes ; au mois d'août, la Rivière-aux-Souches est paresseuse.

Il n'y a presque personne, aujourd'hui. Seulement le vieux Larivière qui, dans sa chaloupe, taquine le doré comme tous les jours.

Un peu plus loin, le fond remonte et le courant s'accélère un peu. L'eau commence à se faufiler entre les rochers. C'est le Rapide-à-Lampron. On l'appelle ainsi parce qu'il longe à cet endroit la terre de Cyrille Lampron, l'oncle maternel de Marc.

Le rapide prend fin sur un barrage destiné à régulariser le cours de la rivière.

Ce n'est plus navigable, même pour une embarcation aussi petite.

Marc prend pied sur une pierre, soulève son matelas et, de roche en roche, rejoint la terre ferme. Il remonte le cours d'eau jusqu'à la descente où l'oncle Cyrille met sa chaloupe à l'eau quand il va pêcher.

Heureusement, Cyrille n'est pas là. Ce n'est pas qu'il irait le raconter aux parents de Marc. Ce n'est pas son genre. Mais il n'aime pas que son jeune neveu se laisse ainsi flotter sur la rivière, sans personne pour l'assister en cas d'accident.

— Je sais nager, lui dit parfois Marc pour se justifier.

— Ce sont les bons nageurs qui se noient, répond alors Cyrille. Les autres ont trop peur de se risquer sur l'eau.

Élyse, la grande sœur de Marc, partage l'avis de Cyrille, tout en sachant qu'il retourne à sa navigation dès qu'elle a le dos tourné.

Les parents de Marc, eux, se montrent catégoriques. Interdiction de s'aventurer sur la rivière. Ils ont installé une piscine afin de contrôler le goût de leur fils pour l'élément liquide.

Mais une piscine, on en a vite fait le tour.

Dans une piscine, il n'y a pas de canards qui barbotent. Il n'y a pas de tortues qui prennent du soleil sur une roche à fleur d'eau. Il n'y a pas ce grand héron bleu qui surveille son bout de rivière à l'ombre du vieux saule.

Depuis deux ans, un couple de bernaches a élu domicile dans le marécage. Marc a réussi à les apprivoiser en leur offrant du maïs. Quand leurs petits sont élevés, les grandes oies se laissent un peu aller. Elles oublient leur méfiance et viennent volontiers chercher leur collation jusque dans la main de Marc. Quand les premiers froids leur donnent des idées de voyage, elles retrouvent leur sauvagerie et se mettent à guetter le ciel. Un jour, un voilier d'outardes passera. Les amies de Marc s'y joindront pour accomplir leur migration.

Le jeune navigateur remet son matelas à l'eau et remonte une dernière fois jusqu'au ruisseau Delorme. Il se place bien dans le milieu de la rivière, là où les animaux riverains le regardent passer sans fuir sa présence qu'ils jugent parfois trop envahissante.

Marc s'endort, comme toutes les fois où le temps est aussi doux. Sans qu'il s'en rende compte, un petit vent le pousse peu à peu vers la rive opposée...

○

Le vieil Horace s'est accroché plusieurs fois. Il a dû casser sa ligne et la réparer. Il y a plein de souches dans cette rivière qui porte bien son nom.

Ça ne mord pas, aujourd'hui. Il replie sa canne à pêche, lève l'ancre et fait démarrer son moteur. C'est un luxe, un moteur dans une rivière si petite, mais le vieux aime prendre ses aises.

Il fait attention et navigue lentement pour ne pas faire trop de vagues. Horace évite de déranger, surtout quand il voit le petit Hautbuisson se balader sur son matelas.

Mais cette fois, il n'a pas vu Marc que le vent a poussé dans une anse où les arbres ont les pieds au frais dans le lit de la rivière. L'enfant dort profondément. Il a bougé dans son sommeil et se trouve trop près du bord de son esquif.

Il suffit d'une vaguelette pour le jeter à l'eau.

Son corps réchauffé par le soleil est brutalement saisi par la fraîcheur de la rivière. Il passe du sommeil à l'hébétude. Il distingue l'ombre de son pneumatique, puis la lumière diminue, faisant place à la pénombre aquatique. Il a le réflexe de respirer, sans même se rendre compte que ce dont il se remplit n'est plus de l'air mais de l'eau.

Il sent vaguement que son dos prend contact avec le fond.

Le grand héron bleu a suivi la scène.

Il n'est pas surpris.

Tant pis pour ce petit humain trop entreprenant. Quand on n'est pas un canard, on ne se laisse pas flotter ainsi sur une rivière.

Élyse est arrivée chez elle la première.

Les parents, Jacques et Danielle, ne devraient pas tarder.

Tiens ? Marc n'est pas encore rentré. Encore à se balader sur son matelas. Il va se faire parler s'il ne se pointe pas le bout du nez avant les parents ! Tant pis pour lui. Il n'avait qu'à surveiller l'heure.

Élyse Hautbuisson, avec la vivacité de ses seize ans, oublie aussitôt l'incartade de son frère.

Elle revient de son emploi d'été, qui consiste à prendre soin du poulailler de l'oncle Cyrille. Un élevage de cinq cents poulets de grain dont elle assume l'entière responsabilité. Un emploi agréable. Cyrille n'est pas le genre de patron à être tout le temps sur le dos de son employée. Avec lui, c'est plutôt le système «carte blanche du moment que le travail est bien fait».

Élyse se montre d'ailleurs très consciencieuse. Pas une plume ne pousserait de travers sans qu'elle s'en aperçoive.

Il reste qu'après plusieurs heures dans un poulailler, on ne sent pas très bon.

Dix minutes plus tard, Élyse sort de la douche et peigne rapidement sa longue crinière rousse, sommairement essuyée. *Ils sécheront tout seuls,* se dit-elle en enfilant une légère robe bleu turquoise et une paire de sandales. La jeune fille aime le bleu qui met en valeur sa longue silhouette et ses cheveux flamboyants. Elle ne porte aucun bijou, pas même une montre. Ses grands yeux verts et son sourire de nacre lui suffisent.

Marc n'est toujours pas là. Elle se rend au bord de l'eau et siffle très fort, sûre d'être entendue jusqu'au Rapide-à-Lampron.

Si son frère est sur la rivière, il ne tardera plus.

○

Bruit de moteur dans l'entrée.
Crissement des pneus sur le gravier.
Des portes qui claquent.
Voilà Jacques et Danielle qui arrivent.
Plus tôt que prévu.
On ne peut vraiment pas le leur reprocher, mais les parents ont la fichue habitude de toujours s'amener quand on a quelque chose à leur cacher.

Élyse déteste ce genre de situation. Elle est complice de son frère cadet, mais elle approuve les parents qui lui interdisent d'aller seul sur la rivière. Et elle n'aime pas les cachotteries. La voilà prise entre deux feux.

Danielle ouvre la porte, joyeuse. Grande et rousse, elle paraît très jeune. On croirait qu'elle est la grande sœur d'Élyse.

— Comment s'est passée ta journée ? demande-t-elle en embrassant sa fille.

— Très bien.

— Je vois que tu as déjà pris ta douche.

— Mais bien sûr, maman, comme toujours ! Sinon, tu m'aurais encore dit que je sens le poulailler !

— Je ne l'aurais pas dit, mais je l'aurais pensé. Surtout si Jonathan Saint-Chartier a une chance de passer te voir.

— Pff ! Maman, tu te répètes. De toute manière, Jonathan ne sent pas meilleur après le travail. Il n'empeste pas le poulet, mais le cochon.

— Hein ?

— Tu ne savais pas ? Mon amoureux travaille cet été dans la porcherie de l'oncle Cyrille.

Jacques fait son entrée. Un grand costaud souriant et pas bavard. Le genre d'homme qui n'ouvre la bouche que de temps en temps, et généralement pour faire une farce. Il embrasse sa fille à son tour.

— Hum! Tu sens bon le shampooing à la lavande.

— Où est Marc? demande Danielle.

— Je ne l'ai pas vu.

Le sourire de Danielle a disparu, faisant place à une ride qui lui barre le front. L'instinct d'une mère est une chose infaillible. Et Élyse partage avec sa mère ce don de deviner les drames.

Il est arrivé quelque chose.

Jacques descend l'escalier qui mène au sous-sol et au garage.

Il remonte aussitôt.

Lui aussi a l'air soucieux, à présent.

— Son vélo est au garage, dit-il. Il n'est pas parti loin.

— Son matelas pneumatique?

— Il n'est pas là. J'ai vérifié.

Danielle empoigne le téléphone.

— Cyrille? Marc n'est pas à la maison. Veux-tu aller voir s'il ne serait pas près de chez toi? Sur la rivière.

Elle raccroche.

L'atmosphère vient de s'appesantir.

Tous ont compris que la journée va mal se terminer.

Seule Élyse remarque que les rideaux de la cuisine bougent et que le lustre oscille légèrement. Pourtant il n'y a pas un souffle de vent.

C'est curieux, comme on remarque parfois des détails insignifiants quand on est en proie à de graves préoccupations.

La Jeep de Cyrille entre dans la cour.

Danielle regarde par la fenêtre.

— Il rapporte le matelas pneumatique.

Elle s'assoit sur le sofa, soudain privée de réaction.

Cyrille entre.

Il prend place à côté de sa sœur, lui passe le bras autour des épaules.

— Le matelas était dans le rapide. Coincé entre les roches. Je n'ai pas vu Marc.

Maintenant tous s'assoient, prostrés. Inutile de rien ajouter.

Marc s'est noyé.

Le son d'un moteur hors-bord passe devant la maison, en direction du Rapide-à-Lampron. Il revient. Repasse encore.

— Ça, c'est Horace. Peut-être que…

— Oui, Danielle. Peut-être, dit Cyrille.

— Il faut en parler à Horace. Le vieux sur sa chaise.

Le policier s'approche, salue le vieillard qui répond d'un léger hochement de la tête, sans même lever les yeux vers son interlocuteur.

— C'est vous qui avez vu le petit pour la dernière fois?

— Oui.

— Où était-il, exactement?

— Par là, répond Horace avec un geste vague. Il allait et venait.

— À votre avis, où aurait pu se passer la noyade?

— Je ne sais pas. Je ne l'ai pas vu faire. Il faudrait poser la question au héron bleu…

2

Jérôme Boudrias est allé chercher un grappin et une longue corde dans le coffre de son auto.

— Prenez ma chaloupe si ça vous chante, a dit Horace, mais ce n'est pas une bonne idée. Il ne faut pas plonger de métal dans la rivière. Ça efface les pistes.

— Les pistes?

— Marc en a laissé beaucoup, en allant et venant. Laissez-moi le temps de trouver la plus fraîche, et je vous dirai où le repêcher.

Jérôme hausse les épaules, préférant ne pas tenir compte des divagations du vieux. Il embarque, après avoir demandé à Cyrille de l'accompagner.

— Il en faut un qui rame et l'autre qui passe le grappin, explique-t-il. On ne peut pas se servir du moteur.

Presque aussitôt, le grappin s'accroche.

Cyrille cesse de ramer.

Jérôme hâle la corde.

Un coup pour rien.

Ils recommencent.

Sur la rive, Élyse a rejoint le vieux.

— Vous croyez qu'ils arriveront à quelque chose ?

— Non, petite. Il faudrait qu'ils aient la chance de tomber directement dessus.

— Je parie que vous avez une meilleure technique.

— Bien sûr ! Ma tête sait déjà où est ton frère, mais elle n'arrive pas encore à me l'exprimer clairement. Apporte-moi du papier et un crayon. Et aussi un bout de planche à poser sur mes genoux pour pouvoir dessiner. Fais vite, avant que ces deux-là n'embrouillent tout.

Horace reçoit le matériel et se met à dessiner. En partie de mémoire, en partie en regardant autour de lui, il trace une carte fidèle du bout de rivière où Marc a disparu. Élyse, qui a compris où son vieil ami veut en venir, l'assiste, lui fait ajouter des détails, lui en fait déplacer d'autres. Bientôt tout y est. On peut voir les trois maisons de ce côté-ci de l'eau, celle d'Horace en face, le grand saule, au pied duquel on distingue le héron bleu, les érables, les aulnes, le barrage, le rapide, le ruisseau Delorme.

— Voilà, dit Horace. Il n'y a plus qu'à dessiner Marc là-dedans et à aller le chercher.

— Je sais que vous allez y arriver, Horace. J'ai confiance en vous.

— Je t'en suis reconnaissant, petite. C'est pour ça que je te garde près de moi. Ta confiance m'aidera beaucoup. Tu as beaucoup de force en toi. J'en aurai besoin pour appuyer la mienne.

— Que dois-je faire ?

— Seulement avoir la volonté de m'assister.

— Mais comment allez-vous y arriver ?

— Ne parle plus, tu vas voir.

Jonathan Saint-Chartier, un grand brun frisé coiffé d'un chapeau noir, arrive. Il salue Horace et embrasse Élyse qui le met au courant en quelques phrases. Ne trouvant pas de mots pour partager le chagrin de son amie, il la serre dans ses bras. Jonathan est un taciturne. Il a le geste plus facile que la parole. Une larme au coin de l'œil exprime à la fois son amour et sa tristesse.

— Je ne peux pas te parler maintenant, Jo, dit-elle. Nous sommes en pleine recherche. Va voir ma mère, tiens-lui compagnie. Elle en a bien besoin.

— Tu n'auras qu'à m'appeler quand tu voudras me voir.

— Merci, Jo. J'aurai besoin de toi quand on aura repêché Marc.

○

Le grand héron bleu a vite compris le manège des humains. Il darde ses yeux jaunes vers l'eau. Son cou se détend brusquement. Il harponne une perchaude. *Pas bien grosse, se dit-il. Et attention aux épines! Ne pas la gober à l'envers.* Il lance sa proie en l'air, la rattrape tête première, l'engloutit d'un claquement de bec et d'une torsion de cou. Il complète son repas d'un poisson blanc. *Pas très savoureux, mais plus doux à avaler.*

Assez mangé. Ce n'est pas l'heure du repas et, d'ici peu, la rivière va devenir infréquentable. L'oiseau s'envole et va se percher au sommet du vieux saule, là où il pourra en même temps digérer et surveiller.

○

Horace a sorti un pendule de sa poche. Un simple morceau d'os au bout de trente centimètres de fil à pêche.

Il prend l'instrument de la main droite et, de la gauche, pointe du crayon différentes parties de sa carte.

Il arrête bien vite son manège.

— Ça ne marchera pas comme ça. Rappelle les deux gars qui sont dans la chaloupe. Il faut qu'ils arrêtent tout de suite, sinon, je ne pourrai plus lire la rivière.

Élyse ne pose pas de question. Elle se tourne vers le cours d'eau et siffle longuement. Elle voit Cyrille qui dresse la tête et lui fait signe de revenir.

Ils interrompent leur recherche et accostent.

Horace, pour la première fois, les regarde dans les yeux.

— On ne va pas y arriver de cette manière, messieurs. J'ai établi le contact avec le petit Marc, mais à chacun de vos passages, la carte devient plus embrouillée. Si ça continue, je ne pourrai plus le localiser.

— Quelle est votre méthode ? demande le policier.

— Le pendule. J'en ai déjà retrouvé plusieurs, de cette façon. Je ne me trompe jamais sauf si quelque chose de plus fort que moi vient me nuire.

— Voulez-vous parler de moi ?

— De toi, non, mon garçon, mais de ton crochet métallique. Il me fait mal chaque fois qu'il passe dans mon champ de recherche.

— De toute manière, ma technique est mauvaise, avoue le caporal Boudrias. Je perds mon temps à décrocher le grappin et j'ai déjà failli le perdre plusieurs fois.

— Le fond de la rivière ne se prête pas à cette méthode. Il est couvert d'obstacles. Et puis aussi, trois cents mètres de rivière sur trente de large, ce n'est pas grand, mais pour qui y va à l'aveuglette, c'est démesuré. D'ailleurs, j'ai senti que le corps était accroché. Il ne remontera pas comme ils le font généralement, au bout de quelques jours. Si vous le rencontrez avec votre grappin, vous allez le mutiler, et alors je ne pourrai plus rien faire. Le contact sera rompu. Il faut des plongeurs.

— J'ai bien envie de vous faire confiance, dit le policier en s'accroupissant près du vieux. Pour ce qui est des plongeurs, je les ai appelés il y a une demi-heure avec mon cellulaire. Ils sont en route.

— Bravo, fiston. Tu es un sage.

— Peut-être, mais je vois en tout cas que je n'arriverai à rien avec ma technique. Le mieux à faire est d'imaginer une solution de remplacement. J'en vois deux : les plongeurs et vous.

— Les deux méthodes seront nécessaires. La mienne d'abord, sinon les plongeurs reviendront bredouilles comme toi.

○

Il y a beaucoup de monde chez les Hautbuisson lorsque les plongeurs arrivent. Ce sont trois jeunes sportifs, deux gars et une fille. Ils se mettent aussitôt à déballer un impressionnant matériel.

Jérôme se présente.

— Caporal Boudrias. C'est moi qui vous ai appelés.

— Salut, répond un des gars. Je m'appelle Jean-François, et voici Taïna et Steve. Nous sommes habitués à faire équipe ensemble.

— Le secteur de recherches est bien délimité. Cela donne environ neuf mille mètres carrés à explorer.

— C'est beaucoup, pour ce genre de rivière, dit Taïna. Elle n'est pas profonde, trois ou quatre mètres, mais la visibilité est nulle et il y a plein d'obstacles. Il va falloir travailler à la lampe et à la boussole.

Élyse s'est rapprochée du groupe :

— C'est mon frère qui s'est noyé.

Jean-François lui fait face, l'air grave :

— Je me mets à ta place. Je sais combien ça peut être dur de ne pas voir celui qu'on vient de perdre. Je te donne ma parole que nous ferons tout notre possible pour te le ramener.

— Merci. Avez-vous besoin d'aide ? Je peux vous assurer que le vieux, derrière moi, sur sa chaise, il a un don. Il peut vous dire exactement où chercher.

— Ah bon ? Il faudra qu'il fasse ça vite, alors, parce que nous, on plonge. Dans une heure il fera nuit. C'est déjà assez sombre comme ça, là-dessous.

— Il n'est pas encore prêt.

— Alors tant pis. On ne peut pas attendre. On va essayer de le trouver par nous-mêmes.

Les trois plongeurs s'équipent. Ils s'encordent de front à deux mètres l'un de l'autre. Celui du milieu tiendra la boussole et le profondimètre. Tous trois sont équipés de puissantes lampes. Ils vérifient leurs bouteilles d'air comprimé et leurs détendeurs, puis se mettent à l'eau.

Quelques curieux ont apporté leurs chaises de parterre. Çà et là, on voit un fanal, prêt à être allumé dans le jour qui décline. Ils surveillent les bulles d'air qui descendent vers le Rapide-à-Lampron.

Près du barrage, les plongeurs prennent pied et se concertent. Ils se déplacent de quatre mètres vers le milieu de la rivière et replongent. Bientôt, les bulles se mettent à progresser en direction du ruisseau Delorme.

— Ils reviennent, prévient Élyse. Vous ne pourriez pas renvoyer tous ces curieux, monsieur Boudrias ?

— Moi non, mais ton père a le droit de leur interdire l'accès à son terrain.

— Je vais lui en parler.

— Laisse, Élyse, dit Cyrille. Il vaut mieux que Jacques reste avec ta mère. Je m'en chargerai s'ils deviennent trop encombrants.

— Oh! Non! Pas lui! s'écrie soudain Élyse.

Un digne personnage, long et maigre, vêtu de sombre, s'avance vers eux. Il a le teint jaunâtre et on voit qu'il se force à se montrer affable car seules ses lèvres sourient. Ses yeux bleu pâle restent de glace.

— Tancrède Bérubé? s'étonne Cyrille. Le curé de Bois-Rouge?

— Un vieux grincheux qui fait la leçon aux jeunes, explique Élyse. Avant, il venait nous parler en classe. Depuis que l'école n'est plus confessionnelle, il ne manque pas une occasion de nous accrocher dans le village, à la sortie de l'école ou quand on passe sur la Principale. Il essaie de nous faire peur. Il voit des péchés partout. Il critique notre habillement, notre langage… On le fuit comme la peste!

Le curé s'approche:

— Bonjour, Élyse. Je suis venu apporter à ta famille le réconfort du bon Dieu.

— Merci, coupe-t-elle sèchement avant de lui tourner le dos.

Il sort de sa poche un petit sac de plastique dont il extrait une tranche de pain.

— Qu'est-ce que c'est? demande Jérôme.

— Du pain bénit. En le jetant dans la rivière, il nous indiquera où le petit a coulé.

— Vous devriez avoir honte, siffle Élyse. C'est un vieux truc de bonne femme superstitieuse.

— Au moins, ça nourrira les petits poissons, ajoute Horace que le curé, jusqu'ici, a ignoré.

— Monsieur Larivière, je vois que vous avez toujours les mêmes idées. Mais je ne vous autorise pas à répandre vos blasphèmes dans des circonstances aussi dramatiques.

Élyse se retourne d'un bloc et fait face à son ennemi, rouge de colère.

— Vous saurez que les idées d'Horace, je les partage. Jetez votre bout de pain et allez-vous-en! Horace et les plongeurs vont retrouver mon frère. Nous n'avons pas besoin de vous.

Une bourrasque se met à torturer les saules. L'eau de la rivière bouillonne en petites vagues couronnées de crêtes blanches.

Le curé, troublé, remet le pain dans sa poche et tourne les talons.

— Je vais plutôt aller bénir ta famille.

— C'est ça, bonne idée, approuve Horace.

Le vent et la rivière se calment aussi soudainement qu'ils se sont agités. Les plongeurs font surface. Jean-François retire son masque et son détendeur.

— Jérôme, il faut empêcher les bateaux de circuler. On ne peut pas travailler avec tous ces remous.

— Il n'y a pas eu de bateau, Jean-François.

— Qu'est-ce que c'était, alors? On a senti les vagues jusqu'à quatre mètres de profondeur.

— Nous aussi, nous avons vu les remous. Nous ne savons pas ce que c'était.

— On va essayer un autre aller-retour, mais ça va être encore plus difficile. Au fond, la visibilité était de trente centimètres. Maintenant, après les remous, elle est réduite de moitié.

— Ça ne se reproduira plus, déclare tranquillement Horace. J'y veillerai.

Les plongeurs ne cherchent pas à comprendre. Ils ont remarqué qu'avec

Horace, il est inutile de demander une explication. Quand il a parlé, c'est toujours à prendre ou à laisser.

3

Quand les plongeurs émergent à nouveau devant chez Élyse, ils reviennent aussitôt vers le bord et prennent pied. Ils ont la mine basse.

Jean-François n'y va pas par quatre chemins :

— On ne va pas y arriver. Il fait trop noir au fond de la rivière.

Il fait nuit à présent.

Jérôme Boudrias a réquisitionné quelques fanaux et on y voit clair sur la berge, mais la rivière demeure un monde impénétrable à la lumière.

— Nous allons arrêter les recherches, dit Taïna, découragée. De toute manière, notre réserve d'air est presque épuisée. Nous reviendrons demain.

— Non. Vous pouvez encore le trouver ce soir.

C'est Horace qui vient d'intervenir.

Il est debout, sûr de lui.

Ce n'est plus le vieillard recroquevillé sur sa carte. Il se tient droit et regarde les plongeurs dans les yeux.

Steve s'approche de lui :

— Vous, vous avez l'air de savoir quelque chose que nous ne savons pas...

— Oui, répond calmement Horace. J'ai localisé le corps. Dans cinq minutes vous l'aurez repêché.

Les trois plongeurs se concertent un peu à l'écart, pas tellement convaincus.

— Moi, dit Taïna, la magie...

— Qu'est-ce qu'on a à perdre ? soupire Steve.

— C'est vrai, dans le fond, reconnaît Jean-François. Et si le vieux avait raison ? On lui donne une chance ?

— Bon, je veux bien, concède Taïna. Par curiosité.

— Et puis ça nous éviterait de revenir demain.

Jean-François retourne auprès d'Horace.

— Votre repérage est-il précis ? Nous n'avons plus beaucoup de temps.

— Précis à cent pour cent. Le petit est à mi-chemin d'ici au rapide. Le temps d'un aller-retour et votre travail est fini.

— D'accord, montrez-nous ça.

Les trois plongeurs font cercle autour du vieux qui se rassoit et déploie sa carte sur ses genoux.

Élyse, du coin de l'œil, a perçu un mouvement. Des silhouettes sortent de la maison.

Ses parents.

Précédés du curé Tancrède qui a entendu les derniers échanges entre Jean-François et Horace. Le prêtre semble hors de lui. Il s'approche à grands pas, l'index levé, prenant le ciel à témoin :

— C'est de la sorcellerie ! Je ne permettrai pas qu'on se serve de sorcellerie pour retrouver un de mes paroissiens.

— Et moi, crache Élyse, je fais plus confiance à Horace qu'à vous et à vos bénédictions. Retournez dans votre église faire votre travail, et laissez les gens compétents faire le leur ici.

— Jacques, voyons, faites entendre raison à cette enfant !

— Ce n'est plus une enfant, monsieur le curé. Et je ne veux négliger aucune chance de retrouver mon fils.

— D'accord avec lui, sanglote Danielle. Je ne veux pas que mon petit passe la nuit dans cette horrible rivière !

— Mais cette espèce de sorcier…

— Horace n'est pas un sorcier, coupe Élyse. C'est notre ami. Allez-vous-en !

Un tourbillon de vent violent s'est soudain levé. Chose curieuse, il enveloppe le curé et ignore toute autre personne. Tancrède Bérubé perd son chapeau, essaie en vain de le récupérer, tente une dernière fois de faire valoir son point de vue. Mais la tempête qui siffle à ses oreilles l'étourdit.

Il commence à battre en retraite.

À mesure qu'il s'éloigne, le tourbillon faiblit autour de lui.

Il veut revenir.

Le vent forcit à nouveau.

Il recule, trouve sa voiture, s'y jette, affolé, démarre.

Le calme est soudain revenu au bord de l'eau.

Les voisins, consternés, ont suivi la scène mais se gardent bien de la commenter à haute voix. Il se passe toujours de drôles de choses avec Horace, surtout quand la petite Hautbuisson est avec lui.

Élyse aperçoit le chapeau de Bérubé tombé dans l'herbe et une nouvelle bouffée de colère, plus violente encore, la reprend :

— Je ne veux plus rien voir de cet individu. Même pas son chapeau !

Elle concentre toute la fureur de son regard sur l'objet.

Un peu de fumée commence à s'en dégager. Quelques étincelles le parcourent.

Le chapeau prend feu, se recroqueville, devient cendre, puis s'éteint aussi soudainement qu'il s'était embrasé.

— Bon travail, Élyse ! dit Horace.

Puis, s'adressant aux plongeurs :

— Puisque plus personne n'essaie de nous déranger, nous pourrions finir notre recherche.

Les trois plongeurs, trop abasourdis pour commenter le phénomène, resserrent le cercle autour de lui.

— Il y a un grand héron bleu sur ce bout de rivière. C'est son territoire. Il y passe ses journées. Rien ne lui échappe, et j'ai communiqué avec lui avant qu'il ne s'envole pour la nuit. Il a assisté à la noyade.

— Communiquer avec un héron ? Mais c'est impossible !

— Oh! non, Jean-François. Je communique aussi avec le mort, en ce moment. Crois-moi, c'est beaucoup plus facile avec un simple héron!

— Admettons, soupire Taïna, les yeux au ciel. Au point où nous en sommes…

— Ne m'interrompez plus, à présent. Nous perdons du temps et il se fait tard. Marc s'est noyé ici, dit-il en montrant du doigt un point précis de la carte. Il a un peu glissé sur la pente, qui est assez douce à cet endroit. Il s'est pris le bras droit dans une vieille ligne à pêche. Il est exactement ici, sur le dos, la tête tournée vers le Rapide-à-Lampron. La profondeur est d'un mètre cinquante. Vous aurez pied pour le remonter. Si vous plongez cinq mètres en amont du corps, vous allez rencontrer un gros rocher. Passez à droite de cet obstacle et descendez le courant. Vous allez tomber droit dessus. Faites attention, il y a beaucoup de souches et de vieilles lignes à cet endroit.

Pendant cet exposé, Danielle s'est approchée d'Horace, par derrière. Elle lui pose les mains sur les épaules.

— J'ai confiance en vous, monsieur Larivière. Moi aussi, je sens que mon fils est à cet endroit.

Impressionnés, les plongeurs se remettent à l'eau.

— Nagez en surface, leur lance Horace. Je vais vous guider. Cyrille et Jérôme, suivez-les avec la chaloupe pour embarquer le corps.

Le trio traverse le cours d'eau, le descend un peu, prend pied.

Taïna, l'ailière droite, a de l'eau jusqu'à la taille. Jean-François, à gauche, jusqu'au cou.

— Jean-François, crie Horace, tu dois avoir le gros rocher juste à ta gauche!

— J'ai le pied dessus.

— Parfait. Plongez et allez droit devant. Le corps est à cinq mètres de vous. Juste en face de Steve.

La plongée reprend à la lueur du fanal installé dans le bateau. Sous l'eau, c'est immédiatement le noir d'encre. Ils allument leurs lampes, touchent au fond. Steve consulte la boussole et, par des tractions sur la corde, fait signe à ses coéquipiers d'avancer. Il ne donne pas dix coups de palmes. Une paire de petits pieds s'encadre dans son masque.

D'abord le signal. Quatre coups à droite, même chose à gauche. Traduction : « J'ai trouvé. » Il détache le mousqueton qui le relie aux deux autres, saisit le noyé par la tête, prend appui sur le fond. Il émerge, gardant sa trouvaille sous l'eau. Ne pas donner de spectacle aux badauds qui n'attendent que cela. Cyrille et Jérôme sont tout près.

— Venez le chercher.

Cyrille prend son neveu sous les aisselles, l'embarque rapidement et le couvre de la toile qu'il a apportée à cet effet. Il a l'œil mouillé. Cette fois, ce n'est plus une hypothèse. Marc Hautbuisson est bien mort.

Retour vers la maison d'Élyse.

L'opération est un succès, mais on ne pavane pas. Le plus dur reste à faire. Danielle et Jacques se tiennent sur la berge, leur silhouette se découpant dans la lueur des lampes.

La chaloupe accoste, les plongeurs sortent de l'eau.

Jonathan tient Élyse par les épaules.

Cyrille soulève le corps enveloppé dans la toile et le dépose aux pieds de sa sœur.

— Je veux le voir, dit-elle dans un souffle.

— Ne fais pas ça ! s'écrie Jacques, désemparé devant la tragédie qui se dénoue brutalement.

Danielle, par contre, se montre étrangement calme.

— Je dois le voir, s'entête-t-elle, sinon je ne pourrai jamais croire qu'il est mort. Je l'attendrai toute ma vie. Je ne pourrai plus jamais dormir si je ne peux pas lui dire adieu.

Cyrille ouvre la toile. Danielle s'agenouille à côté de son fils. Elle semble presque sereine. C'est le temps des adieux, pas encore celui des larmes.

Elle lui caresse la joue et lui ferme les yeux. Elle se relève.

— Que va-t-on en faire, Jérôme ?

— L'ambulance va venir, il doit aller à la morgue, maintenant.

— S'il y a des formalités, dis-leur que je serai disponible demain. Élyse et Jonathan, venez me rejoindre quand tout le monde sera parti. N'amenez personne d'autre.

Sa phrase s'achève dans un sanglot, elle s'effondre dans les bras de Jacques qui l'emmène, chancelante, vers la maison.

Les larmes d'Élyse, elles aussi, se sont mises à rouler sur ses joues, que Jonathan caresse, ne sachant comment la consoler.

Horace s'approche d'Élyse et lui prend les mains.

— Ta mère a eu la bonne attitude, petite. Elle a beaucoup de caractère. Il faudra maintenant que tu fasses comme elle.

— Qu'est-ce que vous voulez dire ?

— Ta mère a déjà accepté son deuil. Le chagrin va à présent lui laver l'esprit. Et après, une nouvelle harmonie s'installera dans ta famille.

— Je ne comprends pas.

— Tu ne peux pas encore comprendre. Il faut d'abord laisser le chagrin faire son œuvre. Tu devras le vivre sans essayer de le repousser. Et après, tu comprendras. Je t'expliquerai. Je t'aiderai.

— Merci, Horace. Vous m'avez déjà beaucoup aidée. Pourquoi faites-vous tout cela ?

— Parce que tu me ressembles, Élyse. Cela aussi, je te l'expliquerai bientôt.

Jonathan a assisté au dialogue.

— Moi non plus, je ne comprends pas très bien, monsieur Larivière.

— Appelle-moi Horace, comme Élyse, petit.

— Si vous voulez, Horace. Mais je n'ai pas tellement l'habitude qu'on m'appelle « petit ». En général, on m'appelle plutôt « le grand ».

— C'est que, vois-tu, Élyse et toi, vous êtes encore très petits, en comparaison de ce que vous serez un jour. De grandes choses vous attendent. Je m'occuperai de faciliter votre évolution. Mais ne m'en demandez pas plus pour l'instant.

— Et mon frère, s'inquiète la jeune fille, qu'est-ce qu'ils vont en faire ?

— Ils vont l'emmener à la morgue, l'identifier, vérifier la cause du décès…

— Mais c'est tout à fait inutile ! Ils connaissent son nom. Et ils savent de quoi il est mort.

— Oui, bien sûr, mais ils aiment faire les choses officiellement. Et puis, seul le grand héron bleu a vu ton frère se noyer. Les humains ne savent pas comment recueillir le témoignage d'un héron bleu.

Élyse s'écarte et descend vers l'eau. Elle a besoin de méditer un peu après tout ce tumulte. *Je ne t'en veux pas, rivière, ce n'est pas ta faute, si mon frère est mort.* Cette pensée lui apporte un peu d'apaisement. *Il faudra que je sois forte,* se dit-elle. *Papa et maman se sont montrés courageux en public, mais je les connais. Ils vont pleurer toutes les larmes de leur corps.*

Jonathan la rejoint et l'enlace :

— Tu as ton visage volontaire, mon amour. Comme quand tu as une grande décision à prendre. Mais tout est fini, ce soir. Laisse-toi aller. Moi aussi, j'ai envie de pleurer. Pour Marc et pour toi.

— Tu m'aimes donc à ce point ?

— Plus que tout au monde. Viens, maintenant, allons rejoindre tes parents.

4

Le grand héron bleu n'a pas attendu la fin de la recherche. Du moment qu'Horace sait où se trouve le corps, l'affaire est conclue.

Chacun son travail après tout.

En voilà un qui commence à prendre un coup de vieux! se dit l'oiseau. J'ai dû lui répéter quatre fois où se trouvait le noyé! Il faudra bientôt penser à le remplacer. Peut-être cette petite Élyse qui me semble particulièrement éveillée...

Mais bon, j'ai fait ma part, à lui de jouer, maintenant. Et puis, s'il fallait en plus travailler de nuit, ce serait le monde à l'envers!

Le héron a pris son essor, grande ombre noire sur un ciel déjà mauve. Personne ne l'a vu. Les humains sont tous bien trop occupés pour regarder passer les oiseaux.

Il faut maintenant quitter le territoire sans laisser de piste derrière soi. D'abord plonger vers l'eau pour se cacher derrière des arbres. Voler au ras du marécage, se placer en face du gros rocher gris, prendre son élan et franchir le passage d'un coup d'aile.

Au lieu de se fracasser contre l'obstacle, il le pénètre et s'y dissout sans un bruit.

Il fait soudain parfaitement clair.

Quel plaisir de se retrouver dans un monde normal où l'on n'a pas à attendre le bon plaisir du soleil!

À Héronia, on a de la lumière quand on le désire et quand on veut dormir, tout s'éteint. C'est quand même plus pratique!

Le grand héron bleu se pose sur le carrelage de l'immense vestibule. Si immense qu'on n'en voit pas les limites, au point qu'un visiteur – à condition qu'il y en ait – pourrait croire que Héronia n'est que cela : un vaste pavement de marbre bleu pâle.

Il faut maintenant penser à la salle du rapport et à Marabout XVIII, le maître des lieux.

L'oiseau se concentre quelques secondes. Un tourbillon vaporeux l'entoure, obscurcissant la pièce colossale. Puis tout s'éclaircit à nouveau. Le grand héron est dans la salle du rapport. À Héronia, autre avantage sans équivalent dans le monde des Zibounous, on ne se déplace pas.

On pense.

On pense à un endroit et aussitôt on s'y trouve.

On pense à une personne et aussitôt on la rencontre, à moins qu'elle n'ait désactivé son menssana, c'est-à-dire sa force de pensée agissante.

Autour de l'oiseau, le décor est sorti du néant. Les murs de la salle sont des rideaux liquides qui ruissellent sans bruit et laissent transparaître des images animées de plantes et d'animaux aquatiques. Il y a des fontaines aux quatre coins, dont les sculptures représentent des hérons, des aigrettes, des cigognes et d'autres échassiers au long bec. Devant l'oiseau se dresse une estrade et deux sièges rembourrés de coussins en duvet d'ibis.

— Tu es en retard ! grommelle une voix ensommeillée. Je m'apprêtais à me désactiver.

L'homme vient d'entrer par une porte invisible, derrière l'échassier. Il la claque dans un bruit fluide d'éclaboussures. Il est très grand, monté sur des jambes interminables. Il est vêtu de duvettissu, comme tout le monde à Héronia.

Il gravit les trois marches de l'estrade et s'assoit avec un soupir, puis tourne son long nez busqué et ses petits yeux clairs vers le visiteur.

— Tu éclaires mon cœur, Grand Marabout, Maître du grand Héron Bleu, sphérarque d'Héronia, salue poliment le héron.

— Tu m'éclaires aussi, répond Marabout, respectant les règles de la bienséance. Que se passe-t-il pour que tu arrives si tard?

— Il y a eu un mort sur mon territoire.

— Raconte-moi ça.

— Un jeune qui s'est noyé dans ma rivière.

— Un Zibounou?

— Oui et non.

— Comment, *oui et non*? C'est un Zibounou ou un Héronien?

— Il est de la famille Hautbuisson. Une lignée frontalière.

— Hum ! Embêtant, ça. On ne sait jamais sur quel pied danser, avec ces frontaliers à cheval sur nos deux mondes. A-t-il effectué sa translation ?

— Pas encore. Ils l'ont emmené à la morgue et vont lui faire des funérailles. Cela risque de le retarder. J'imagine que dans deux ou trois jours on va le voir arriver.

— Donc ils l'ont retrouvé. C'est toujours ça.

— Oui, mais cela n'a pas été sans peine. Il y avait plein de Zibounous qui compliquaient tout.

— Horace n'était pas là ?

— Si, mais il a fallu que je lui donne un sérieux coup de main.

— Encore ? Qu'est-ce qui se passe, avec Horace ?

— Il devient vieux, voilà tout. Il commence à faiblir. Il a suffi d'un Zibounou avec un grappin pour lui brouiller les pistes.

— Hum ! Ça devient préoccupant, en effet.

— Il y a plus grave. Il a révélé ma présence. Il a dit aux Zibounous que je lui avais donné la position du corps.

— Bigre ! Comment ont-ils réagi ?

— Ils n'ont rien compris et n'ont pas insisté. Ils le prennent pour un vieux fou. Un des plongeurs, en désespoir de cause, a fini par l'écouter. Je crois qu'il serait temps de remplacer Horace comme maître de bief.

— Je le crois aussi, mais il est encore trop tôt. Il lui reste certaines tâches à accomplir. Et surtout, je n'ai personne à mettre à sa place. Les candidats ne sont pas nombreux pour s'occuper d'un petit bief de trois cents mètres sur la Rivière-aux-Souches.

— J'aurais peut-être quelqu'un.

— Toi, Héron Bleu? Mais parle, que diantre!

— Il s'agit de la sœur du noyé.

— Une Zibounoue? Tu n'y penses pas!

— Moins zibounoue qu'il n'y paraît, grand Marabout. C'est une frontalière de tout premier rang.

Le visage du sphérarque se voile d'une moue embarrassée.

— Hum! Une femme. Je vais demander conseil à Ciconia.

Dans la seconde qui suit, une gracieuse silhouette franchit le mur d'eau dans un clapotis de porte.

Le héron bleu sursaute. Il ne se fera jamais à cette fâcheuse habitude qu'ont les humains de se déplacer physiquement alors qu'il est si simple et si discret de le faire par démarche mentale.

Comme son compagnon Marabout, Ciconia est grande et svelte. Elle a les cheveux bleus et les yeux jaunes. Mais si Marabout est plutôt grisonnant, elle n'a pas un fil blanc dans sa luxuriante toison et ses cent quatre-vingt-trois ans n'ont nullement terni l'ambre lunaire de son regard. Elle porte une longue robe de duvettissu pervenche, si légère qu'elle semble voler autour de son corps.

Ciconia grimpe en sautillant les marches de l'estrade et s'assoit à côté de son époux.

— Et alors, messieurs, raille-t-elle, on a encore besoin de la sagesse d'une femme pour débrouiller les subtils rouages de votre politique ?

— Tu éclaires mon cœur, Ciconia, salue le héron, sans relever l'ironie de la femme du sphérarque.

— Tu m'éclaires aussi, Héron Bleu, répond-elle en le gratifiant d'un charmant sourire.

— Ne ris pas, Ciconia, j'ai un gros problème d'affectation, bec et plumes !

— Marabout, j'aimerais que tu t'abstiennes de jurer en ma présence, lui reproche doucement la souveraine. Tu pourrais dire *sapristi* au lieu de blasphémer comme un vulgaire butor.

— Je te prie de m'excuser, j'ai la tête ailleurs.

— On s'égare, Marabout, intervient le héron bleu.

— Toujours aussi impatient! souligne la grande dame.

— Héron Bleu est mon meilleur agent de liaison, plaide Marabout, cela excuse son caractère bouillant.

— Si tu me disais plutôt pourquoi tu m'as fait venir en salle du rapport.

— Il devient urgent de mettre Horace à la retraite.

— Qu'est-ce qui se passe avec Horace?

— Trop vieux. Je pense le rapatrier à Héronia en attendant sa prochaine translation. Héron Bleu a une candidate à me proposer.

— UNE candidate? Une femme? Voilà qui m'intéresse.

— C'est bien pour ça que je te demande ton avis. Mon agent va t'expliquer.

— Il s'agit d'une très jeune femme. Seize ans. Élyse Hautbuisson.

— Est-elle frontalière ?

— Oui, au plus haut point. Elle a les dons. Elle fait bouger les objets, déclenche le vent et allume le feu par la force de son menssana.

— Peut-on parler de menssana ou d'une simple intelligence un peu plus vive que celle de ses semblables ?

— Elle a vraiment le menssana. Elle voit les choses cachées mieux qu'Horace et elle a été capable de lui prêter sa force pour l'aider à voir. Sans elle, il n'aurait pas retrouvé le corps du noyé. Moi-même, je me suis servi du menssana de la petite pour communiquer plus efficacement avec Horace.

— C'est sans précédent de la part d'une Zibounoue !

— Élyse n'a plus rien d'une Zibounoue.

— C'est bien la première fois que j'entends parler d'une Terrienne qui possède les dons et le menssana avant d'avoir fait sa translation dans notre sphère !

— Les annales des Anciens mentionnent un cas dans un lointain passé. Un certain Bouddha, précise Marabout.

— Il y a aussi eu Alexandre le Grand, ajoute Héron Bleu. Mais celui-là, il a mal tourné. On dirait que ça lui est monté à la tête ; il a levé une armée et s'est mis à casser la figure à tous ses semblables. Il a fallu l'éliminer dans la fleur de l'âge et lui faire reprendre son incarnation zibounoue.

— C'est bien joli, vos pages d'histoire, mais il va falloir examiner cette jeune fille de plus près.

— Que proposes-tu ?

— Que j'aille la rencontrer. Je me désactiverai et Héron Bleu transportera mon menssana dans l'esprit d'une personne très proche de cette jeune Élyse. Avez-vous quelqu'un à me suggérer ? Sa mère, peut-être, si elle est frontalière.

— Non, répond Héron Bleu. Sa mère est une personne fort brillante selon les normes zibounoues, et elle est très frontalière, mais son menssana est encore trop embryonnaire. Je propose plutôt Horace, puisque nous l'avons sous la main. De toute manière, Horace a déjà fait des offres à Élyse en lui laissant entrevoir l'existence d'un monde parallèle au sien.

— Sapristi ! Il est donc urgent d'agir. En implantant mon menssana dans celui d'Horace, je ferai d'une pierre deux coups ; je le surveillerai et je sonderai Élyse.

— Reste à voir si Horace acceptera. Il a de plus en plus mauvais caractère.

— Ça, mon cher, j'en fais mon affaire !

○

Les funérailles de Marc Hautbuisson ne se sont pas passées sans heurt. Le caractère intransigeant du curé Tancrède et celui, tout aussi abrupt, d'Élyse n'ont pas facilité l'événement.

Elle ne voulait pas que son frère séjourne au salon funéraire. Sa famille, attachée aux traditions, a insisté. Il a fallu toute l'autorité de l'oncle Cyrille pour arranger les choses.

Élyse a cédé.

Mais elle a exigé en échange que le corps soit incinéré.

Tancrède, peu accueillant envers cette pratique nouvelle, s'y est opposé.

— Marc est mort par l'eau, a plaidé la jeune fille, il doit partir par le feu, ainsi l'harmonie sera rétablie.

— Je suppose que c'est Horace Larivière qui t'a encore mis cette idée dans la tête.

— Je partage les idées d'Horace mais je n'ai pas besoin de lui pour en avoir, des idées.

Encore une fois, Cyrille a dû éteindre l'incendie qui s'allumait.

Les parents Hautbuisson, à qui revenait la décision, n'ont pas soulevé d'objection contre l'incinération. Ils ont perdu un fils et ont tendance à pousser Élyse à occuper la place vide. Depuis la noyade de Marc, ils la laissent pratiquement diriger la maison.

Et les voilà tous réunis dans l'église de Bois-Rouge, comme des chiens et des chats enfermés dans la même cage.

L'urne funéraire trône discrètement à l'endroit où Tancrède aurait aimé voir un bon gros cercueil verni avec des poignées dorées.

Il y a foule dans l'église. Tous les badauds qui encombraient les berges de la rivière, il y a deux jours, se sont retrouvés pour le service.

Les familles Hautbuisson et Lampron sont à l'avant, accompagnées de Jonathan, dont elles apprécient le soutien viril et tranquille.

L'adolescente, elle, est tout en arrière, debout, à côté d'Horace Larivière. L'un et l'autre s'abstiennent de tout geste ou parole religieuse. Ils ne sont pas là pour participer à l'office mais pour surveiller.

Le curé, aussi à l'aise que s'il était assis sur un nid de fourmis, accélère le déroulement de la cérémonie. Il expédie à la hâte une bénédiction finale et annonce que le cortège des automobiles va se mettre en route en direction du cimetière.

Élyse s'avance dans l'allée :

— On ne va pas au cimetière. On va chez nous.

— La tombe est prête…

— Elle servira pour le prochain mort.

Bref conciliabule de la famille.

Cyrille se détache du groupe et s'approche de Tancrède qui danse d'un pied sur l'autre, bouillant de colère.

— Je regrette, dit Cyrille, mais il va falloir faire comme Élyse l'a proposé. Les parents sont d'accord.

— Depuis quand une petite péronnelle vient-elle faire la loi dans mon église ?

— Cette petite péronnelle est ma nièce. Et nous voulons surtout mettre fin à la tension qui règne.

— Qu'allez-vous faire de l'urne ?

— Je l'ignore encore.

— En tout cas je vous accompagne.

— Si vous voulez. Mais n'intervenez en rien. Je demanderai à Élyse de s'abstenir de tout commentaire à votre égard.

— Soit, mais si j'assiste encore à quelque pratique de sorcellerie, cela se saura en haut lieu.

Le cortège se reforme, Cadillac noire et corbillard chargé de fleurs en tête. On prend le chemin de la rivière. Dans la Cadillac, la famille ne dit mot. Tout ce cérémonial, qui les arrache à l'intimité de leur deuil, les laisse sans réaction. Élyse, qui n'a pas voulu abandonner l'urne au corbillard, la tient serrée contre elle.

— Que vas-tu faire, quand nous serons arrivés? demande Danielle, rompant un silence pesant.

— Terminer les funérailles de Marc dans l'harmonie. Jure-moi que tu me laisseras faire.

— Dis-moi au moins ce que tu mijotes.

Élyse dévoile son plan.

Danielle finit par hocher la tête.

— C'est inhabituel, mais puisque tu le feras avec respect...

On arrive.

Le corbillard et la voiture stationnent dans la cour. Les autres voitures le long du chemin.

Les employés des pompes funèbres attendent, indécis.

— Toutes les fleurs et les couronnes au bord de l'eau, leur lance Élyse qui tient toujours l'urne dans ses bras.

Les employés hésitent, regardent Cyrille qui semble avoir autorité sur la famille.

— Faites ce qu'elle dit, leur glisse Cyrille.

Les hommes, soulagés de ne pas avoir à prendre de décision, se mettent à l'ouvrage. Quelques minutes plus tard, la berge est abondamment fleurie. Il y a foule sur la pelouse. Les voisins et amis se dévisagent, intrigués. Personne ne les a invités à entrer dans la maison, comme le voudrait l'usage.

C'est alors qu'Élyse entre en scène.

D'un pas mesuré, elle descend vers le cours d'eau. La foule se sépare pour la laisser passer, même le curé qui ronge son frein, conscient que la petite péronnelle a usurpé sa fonction.

Élyse ne voit personne, regarde devant elle, les yeux dans le vague. Elle descend jusqu'au bord de l'eau. Elle embarque dans la chaloupe d'Horace.

— Oncle Cyrille, viens ramer.

Il met l'embarcation à flot, y pénètre d'un saut, saisit les avirons.

— Va jusqu'au milieu, et jette l'ancre.

Cyrille pagaie deux ou trois coups, rentre les rames, mouille le bloc de ciment, laisse filer quelques mètres de corde.

Élyse est assise et s'affaire à un travail que le bord de la barque cache à la foule. Puis elle se lève, tenant l'urne d'une main et son couvercle de l'autre.

Un soupir de surprise parcourt la foule.

— Profanation! grommelle Tancrède pour soi-même.

Élyse laisse tomber le couvercle dans l'eau. À deux mains, elle penche l'urne et en déverse le contenu dans le courant. Lorsqu'elle est vide, elle y jette aussi le récipient.

Un *plouf* et quelques rides: c'est tout ce qui reste désormais de Marc Hautbuisson qui, pour avoir voulu connaître la rivière de trop près, y passera le reste de son éternité.

Le vent se lève brusquement. L'eau s'agite. Des bourrasques arrachent les feuilles des arbres. Des vagues écumantes se ruent à l'assaut des berges où les visiteurs reculent pour se mettre à l'abri des éclaboussures.

Élyse est toujours debout dans la chaloupe, ondulant de tout son corps pour compenser les mouvements de l'embarcation. Et au milieu de cette espèce de ballet satanique, ses grands yeux verts luisent, dardés sur la foule.

Elle croit voir Horace s'approcher de Jacques et Danielle. Puis ces deux derniers prendre chacun un bras du curé Tancrède pour l'emmener plus loin.

La tempête se calme soudainement.

Cyrille remonte l'ancre, reprend les rames et regagne la rive.

Élyse, très calme à présent, remonte vers la maison.

Jonathan lui passe le bras autour des épaules.

— Tu as très bien fait, Élyse. Je suis avec toi.

— Cette tempête m'a fait peur. Tu crois que c'est moi qui ai provoqué ça ?

— Je ne sais pas. Horace, peut-être ? J'en ai eu le frisson. On aurait dit que l'eau et le vent participaient aux funérailles de Marc.

5

Élyse, réconfortée par quelques moments d'intimité avec Jonathan, gravit avec lui l'escalier extérieur qui donne accès au balcon. Elle lui serre une dernière fois la main. Cet échange, si bref, est pourtant lourd de sens. Elle s'abandonne à lui avec une tendresse que son attitude extérieure dissimule, dictée par le déroulement des funérailles. En échange, il lui confère la force d'affronter une situation qui repose de plus en plus sur ses épaules. Élyse et Jonathan n'en sont plus à se déclarer leur passion toutes les cinq minutes. Il suffit d'un contact de leurs mains pour que la chimie de l'amour les envahisse.

Les jeunes pénètrent dans la maison. Cuisine et salon sont déjà pleins de monde.

Des voisins et connaissances. La plupart essaient de se coller sur le visage l'expression d'une tristesse qu'ils ne ressentent pas. D'autres aimeraient en raconter une bien bonne mais se retiennent, ayant peur de rigoler trop fort. Tous sont engoncés dans des habits plus ou moins sévères et dont plusieurs sentent la boule à mites.

Seuls Élyse et Jonathan portent des jeans.

Debout près de la table à dîner, Tancrède Bérubé, encore coiffé de son chapeau et une tasse de café à la main, s'entretient avec Danielle qui l'écoute d'un air las. Un air qui exprimerait l'ennui s'il n'était submergé d'un chagrin que les absurdes mondanités l'obligent à différer.

Tancrède aperçoit Élyse.

— Ah! Te voilà. Je parlais de toi avec ta maman.

Élyse ne répond pas. Elle le foudroie du regard.

— Viens par ici, mon enfant, nous avons des choses à nous dire…

Le curé n'achève pas sa phrase.

Un grondement s'est emparé de toute la maison. Une lourde vibration menaçante qu'on n'entend presque pas mais qu'on sent trépider sous ses pieds et jusque dans son ventre. Tentures et suspensions se mettent à osciller.

— Un tremblement de terre! lance quelqu'un.

Les tiroirs de la cuisine s'ouvrent en grinçant. Cyrille les referme à mesure, tandis qu'ils protestent en agitant les ustensiles qu'ils contiennent.

On entend le fracas d'une tasse qui se brise à terre, accompagné d'un cri d'effroi.

Une tringle à rideau se détache et s'écrase sur le plancher.

— Il faut sortir ! hurle un visiteur.

Horace se lève de son fauteuil et crie, dominant le tumulte :

— Ce n'est pas un tremblement de terre. Regardez dehors, la rivière est calme et rien ne bouge.

— Horace a raison, confirme Jonathan. J'ai compris ce qui se passe. C'est à cause du curé.

Cyrille, distrait par ces interventions, a relâché sa surveillance. Un tiroir sort de sa glissière et se répand au sol dans un tintamarre de métal maltraité.

Horace s'approche de Tancrède et lui glisse :

— Je crois qu'ils disent vrai, monsieur le curé. Sans vouloir vous chasser, vous devriez vous en aller et permettre à la paix de revenir dans cette maison.

— Écoutez-le, ajoute Jonathan qui s'est approché à son tour. Partez avant que tout ne s'écroule.

Le vacarme est maintenant devenu assourdissant, mais Élyse a quand même pu saisir les derniers mots de son ami. Elle fixe, les yeux grand ouverts, le couvre-chef de Tancrède Bérubé.

Un peu de fumée s'en échappe. Quelques flammèches apparaissent, prennent de la force.

Le curé arrache son chapeau, le jette à terre, le piétine.

Impossible de l'éteindre.

— De l'eau! hurle-t-il, éperdu.

— Inutile, crie Horace.

— Disparaissez ou je vous jette un sort, ricane Élyse qui semble s'amuser.

— Je ne crois pas aux sorts!

— Vous l'aurez voulu!

— Partez avant que la maison ne passe au feu, supplie Danielle.

Si celle-là aussi s'en mêle…, se dit Tancrède.

Il n'a pas le temps de formuler sa pensée.

Comme le soir de la noyade, un tourbillon de vent l'enveloppe et le coupe du reste du monde. Il prend peur, cherche la porte, la trouve malgré sa vision embrouillée par la bourrasque.

Il dégringole l'escalier, court vers sa voiture dans la tempête qui mollit, met le contact et démarre.

Le calme est brusquement revenu dans la maison.

Le chapeau – le deuxième en trois jours – achève de se consumer dans une âcre odeur de feutre calciné.

Un coup de balai d'Élyse qui, pour la seconde fois aujourd'hui, manipule des cendres. Celles-ci n'iront pas à la rivière mais à la poubelle, où la jeune fille les précipite rageusement.

Seul un cerne brun sur le plancher rappelle l'incident.

Le geste d'Élyse, dans son quotidien rassurant, a un peu détendu l'atmosphère mais les visiteurs commencent à s'en aller. Le climat inquiétant de ces funérailles insolites les a déroutés.

Les gens n'aiment pas les surprises.

Surtout quand ils n'en comprennent pas la signification.

○

Aussitôt que les flots de la rivière ont commencé à s'agiter et le vent à souffler, lors de l'immersion des cendres, le héron bleu s'est envolé pour aller se percher au sommet du vieux saule.

Les hérons sont des êtres paisibles.

L'oiseau est prévoyant, aussi. Il a pris soin de gober deux ou trois grenouilles, sachant que son repas risquerait d'être interrompu.

Qu'il est donc difficile, se dit-il, *d'être un héron tranquille quand on a une horde de Zibounous à contrôler ! Avec leurs coutumes funéraires barbares, plus moyen de prendre de repas à heures fixes. Je ne serais pas surpris, après ça, d'avoir des brûlements d'estomac !*

Tout en bougonnant, l'oiseau bleu achève de compter les personnes qui sortent de chez les Hautbuisson.

Pendant quelques minutes, les Zibounous partent en groupes compacts, puis leur flot se tarit.

— Hum! Voyons, quarante-trois sont entrés, trente-sept sont ressortis. Il en reste donc six. Et ces six-là ne peuvent être que Jacques et Danielle, Élyse et Jonathan, Horace et Cyrille. Je n'ai donc plus rien à faire ici. Ciconia s'en charge, puisque cette petite curieuse est allée s'incruster dans le menssana d'Horace. Le mieux est d'aller faire mon rapport tout de suite à Héronia. Et cet après-midi, je reviendrai me pêcher un repas convenable. Quelque chose de léger. Un ou deux gougeons, un petit brochet. Ces grenouilles sont trop indigestes.

En s'apitoyant sur ses petites habitudes bafouées, l'oiseau s'élance dans un long vol plané qui l'amène droit sur le gros rocher gris. Il y pique sans ralentir et se retrouve dans la salle du rapport où Marabout XVIII l'attend déjà.

— Tu éclaires mon cœur, grand Marabout, mais, par mes plumes, ne pourrais-tu me laisser appeler la salle du rapport au lieu de la dresser sur mon chemin? Ces émotions ne sont plus de mon âge!

— Tu m'éclaires aussi, Héron Bleu, mais tu te fâches pour pas grand-chose, nom d'un tourne-pierre! J'avais simplement hâte d'entendre ton rapport et d'avoir des nouvelles de Ciconia. Tu deviens vraiment un vieux rouspéteur. Je me demande s'il ne va pas falloir te remplacer, toi aussi, comme Horace.

— Si tu veux, je peux te présenter ma démission tout de suite.

— Je plaisantais, voyons !

— Et j'aimerais que tu évites d'évoquer les tourne-pierres en ma présence. Cette triste engeance me hérisse les plumes !

Les tourne-pierres, ces petits oiseaux échassiers, ont la caractéristique d'avoir le bec recourbé, non vers le bas, mais vers le haut. Ce qui leur vaut le mépris des hérons, cigognes, bihoreaux, butors et garde-bœufs, dont le bec est droit. Les spatules, avec leur bec aplati, sont victimes de la même discrimination.

— C'est bien la peine d'être un Héronien, ronchonne Marabout, si c'est pour être raciste comme un vulgaire Zibounou !

— J'entends pouvoir émettre mes opinions à Héronia comme ailleurs, réplique aigrement Héron Bleu.

— Tu es bien susceptible, aujourd'hui.

— Il n'y a plus moyen de travailler en paix sur ma rivière. Des tempêtes l'agitent sans cesse. Les Zibounous font un vacarme insupportable, et je n'ai même pas eu le temps de prendre un repas convenable.

— Calmons-nous, Héron Bleu. Moi aussi, je suis nerveux. Ça m'agace de voir Ciconia désactivée et de savoir son menssana en vadrouille dans des endroits peu recommandables.

— Des endroits où tu m'envoies en mission tous les jours…

— Si tu me racontais plutôt comment cela se passe, là-bas ?

— Pff ! Une vraie pétaudière ! D'abord, Horace s'est fait tirer l'oreille pour prendre Ciconia en charge.

— Et pourquoi donc ? Il aurait dû être honoré.

— Penses-tu ! Il a dit que si on ne lui faisait plus confiance, on n'avait qu'à lui retirer sa fonction. J'ai dû le menacer de mise à la retraite anticipée pour qu'il accepte. Et j'ai finalement pu transférer le menssana de Ciconia dans le sien.

— Et les funérailles ?

— Un vrai fiasco ! La chicane a pris entre Tancrède Bérubé, le curé, et cette petite Élyse dont je te parlais hier. Je t'épargne les détails de la querelle, mais sache que la petite a eu gain de cause sur toute la ligne.

— Intéressant, ça! Donne-moi des précisions.

— Elle jouit de l'appui de son oncle Cyrille, de son ami Jonathan et d'Horace, mais il n'empêche qu'elle est le chef incontesté de sa tribu. Elle possède une force de caractère que beaucoup de Héroniens n'ont pas. Pour ce qui est du tempérament, elle est typiquement zibounoue. Impulsive, susceptible, agressive, rancunière…

— Charmante personne!

— Je ne te souhaite pas de lui déplaire; elle t'arracherait la barbe!

— Bec et plumes! Mais alors pourquoi Horace veut-il nous la mettre sur le dos?

— Attends, je n'ai pas fini. Donc, pour le caractère, c'est une Zibounoue sans surprise. Mais pour le reste, elle est plus que frontalière. À certains points de vue, elle est même plus qu'héronienne.

— Mais c'est impossible, voyons. Ça ne s'est jamais vu.

— Tu demanderas à Ciconia. Élyse possède déjà le contrôle des choses à un très haut niveau. Je l'ai vue remuer l'eau, en plus de déchaîner le vent et d'allumer le feu.

— Bigre! Une enfant de la terre qui commande à l'eau, à l'air et au feu! Les quatre éléments… Les quatre éléments qui, réunis dans une même personne, lui permettent d'atteindre au Cinquième! Cette fois le compte y est. Tu sais à quoi je pense depuis que tu me parles de cette jeune Élyse?

— Non. Mon rôle se limite à surveiller.

— La prophétie… La fameuse prophétie d'Ibis Ier, à laquelle plus personne n'attachait foi…

— Si c'est le cas, nous devons prendre les devants.

— Héron Bleu, il faut que tu retournes tout de suite là-bas. Je veux que tu contactes le menssana de Ciconia et que tu la préviennes.

○

Chez les Hautbuisson, le vrai deuil a enfin pris sa place. Une petite vie morose et ralentie où le vide laissé par Marc sera peu à peu comblé par ceux qui restent. On s'habituera. On n'oubliera pas, mais on deviendra moins triste. Une vie différente s'installera.

Horace termine sa tasse et se lève.

— Je vais vous laisser, je me sens très fatigué. J'aimerais qu'Élyse et Jonathan me raccompagnent.

Horace ne donne jamais d'ordre. Il est bien trop doux. Mais quand il demande un service, c'est un peu comme un ordre. Et Élyse a déjà compris que le vieux a une idée derrière la tête.

Le trio embarque. Horace s'assoit près du moteur, suivi d'Élyse. Jonathan donne une poussée et saute à bord à son tour.

— Pas besoin du moteur pour un aussi petit trajet ; Jonathan ramera.

En trois coups d'avirons, ils sont à mi-chemin. Horace habite presque en face, de l'autre côté de l'eau.

— Ne va pas trop vite, Jonathan, j'ai des choses à vous dire.

— Je m'en doutais, dit Élyse. C'est pour ça que vous vouliez qu'on vous reconduise ?

— On ne peut rien te cacher. C'est d'ailleurs toi qui me préoccupes. As-tu remarqué que des objets se mettent à bouger autour de toi quand tu es sous l'effet d'une émotion forte?

— Bien sûr, et ça m'inquiète. Les rideaux qui remuent, le vent, les vagues… Je crois que Jonathan me soupçonne de provoquer ces phénomènes.

— Il a très bien compris. Bravo, petit. Ou plutôt, bravo, *le grand*.

— Oui, j'aime mieux, sourit le gaillard en remerciant d'un coup de son grand chapeau noir.

— Tu as des dons redoutables, Élyse. Et c'est extrêmement dangereux. Cela pourrait te tuer ou répandre beaucoup de souffrance autour de toi. Il est urgent que je t'apprenne à utiliser tes pouvoirs sans qu'ils se manifestent à l'improviste. Tu apprendras aussi à en user sans émotion, sinon tu finiras par détruire tous ceux qui s'opposent à toi. Tu as déjà commencé avec Tancrède Bérubé.

— Ce curé rétrograde est mon ennemi et je le combattrai chaque fois qu'il se frottera à moi!

— Continue comme ça et bientôt tu mettras tout Bois-Rouge à feu et à sang. Élyse, as-tu confiance en moi?

— Mais oui, Horace. Pourquoi cette question ?

— Alors promets-moi de ne rien tenter sans m'en parler. Et d'éviter les émotions violentes tant que je ne t'aurai pas appris à les canaliser.

— Il faudra aussi que j'évite Tancrède !

— Oh oui ! Surtout lui. Ai-je ta promesse ?

— Oui, Horace, mais ne me faites pas languir trop longtemps. L'impatience aussi est une émotion.

— Reviens me voir demain matin. Le plus tôt possible. Nous commencerons immédiatement.

— Jonathan aussi ?

— Oui, Élyse. Jonathan est ton ami. Il faut qu'il soit au courant des changements qui vont t'affecter.

Il détend l'atmosphère d'un sourire moqueur :

— Tâche de ne pas brûler le chapeau de ton copain…

6

Le lendemain, à la première heure, le curé Tancrède Bérubé quitte le presbytère en direction du magasin Lapalme et fils. C'est un des plus anciens commerces de Bois-Rouge. Un de ces vieux magasins généraux où l'on trouve de tout, des clous aux casseroles, en passant par les vêtements de travail.

On y vend aussi des chapeaux.

C'est la deuxième fois, cette semaine, que Tancrède vient s'acheter un couvre-chef. Il connaît le rayon et s'y dirige sans hésiter. Il se souvient aussi, depuis la récente dernière fois, de sa pointure. Sept et demi.

Il n'en reste plus de noirs. Tant pis. Un gris fera aussi sérieux qu'un noir. Il s'empare de l'objet et se présente à la caisse, tenue par madame Lapalme.

— Bonjour, monsieur le curé. Ne me dites pas que vous avez encore perdu votre chapeau !

— Eh oui ! Un coup de vent imprévisible…

— Vous n'êtes pas chanceux. Je vous enlève les étiquettes, ainsi vous pourrez le porter tout de suite.

— Merci, Madeleine. Je vous dois combien ?

— Trente-quatre et dix-huit.

Le curé sort deux billets de sa poche, reçoit sa monnaie et, devenu légitime propriétaire du chapeau, l'ajuste sur son crâne dégarni.

Il se fige.

Son visage s'empourpre.

Il ressent une chaleur qu'il ne connaît que trop bien.

Des volutes de fumée s'élèvent du chapeau de Tancrède, lui nimbant la tête de petites auréoles.

Mû par le réflexe que lui dicte son expérience des derniers jours, il arrache le chapeau et le jette à terre au moment où les premières flammes apparaissent.

Un employé se précipite avec un extincteur. Il recouvre le chapeau de poudre comme un gâteau de crémage. Rien n'y fait. Le chapeau se consume jusqu'à n'être plus qu'un petit tas de cendres.

— Qu'est-ce qui vous est arrivé, monsieur le curé? s'inquiète Madeleine.

— On vous a joué un tour? suggère le manieur d'extincteur.

— Je ne vois vraiment pas comment, commente la caissière. Je vais aller vous chercher un autre chapeau.

— Euh! Non merci, Madeleine. Les chapeaux, c'est fini pour moi.

— Je vais vous rembourser, alors. Nous avons des assurances.

— Pour ce genre de sinistre? Ça m'étonnerait.

Tancrède récupère tout de même son argent et se hâte de sortir, bouillant de colère. *Cette petite chipie d'Élyse m'a bel et bien jeté un sort*, se dit-il. *Et pourtant, ça n'existe pas, les sorts.*

Il regagne la cure, verrouille sa porte et se verse un verre de brandy.

— C'est un peu tôt pour les boissons fortes, mais j'en ai bien besoin.

Il avale une gorgée d'alcool en tenant son verre d'une main qui tremble. Il s'assoit et prend le temps de se calmer. La colère est mauvaise conseillère.

○

Jonathan est venu déjeuner avec Élyse pour être sûr d'être prêt à temps. Ils ont un rendez-vous à ne pas manquer, ce matin.

Jacques et Danielle sont encore au lit. Ils ont dû assommer leur chagrin avec un somnifère. Tant mieux. Les heures que l'on confie au sommeil sont autant d'heures épargnées à ceux qui souffrent.

Dans la chaloupe d'Horace, ils se concertent une dernière fois.

— Tu es toujours d'accord pour faire entièrement confiance à Horace?

— Oui, Élyse.

— Moi aussi. Mais ce qui m'attend me fait un peu peur. Je suis sûre qu'Horace est beaucoup plus qu'un vieux radiesthésiste qui retrouve des noyés.

— Je le crois aussi. Quoi qu'il advienne, n'oublie pas que je t'aime.

— Tu ne le dis pas assez souvent.

— J'ai peur de radoter. Quand on répète trop souvent la même chose, elle finit par perdre tout son sens.

— Oh non ! Je ne m'en lasserai jamais.

— J'aimerais que notre amour dure toute notre vie.

— C'est ce que je veux, moi aussi.

Elle lui saute au cou, manquant de faire chavirer le bateau.

— Merci, Jo. Tu me rassures. Notre amour sera plus fort que toutes les sorcelleries du monde. Si Horace me propose quelque chose qui doit nous séparer, je te jure que je refuserai.

Horace, les voyant traverser la rivière, opère une dernière mise au point avec le menssana de Ciconia qui hante le sien depuis deux jours.

— D'accord, Ciconia, je ne prends aucune décision sans que vous me communiquiez d'abord votre avis.

Le jeune couple hâle l'embarcation et se dirige vers la maison sous le regard attentif du héron bleu, occupé à pêcher son petit déjeuner à l'ombre du vieux saule.

Ils pénètrent dans un singulier décor. Un intérieur de magicien de bande dessinée. Le mur du fond est bâti de grosses pierres et percé d'un immense foyer. Dans l'âtre pend une crémaillère et un chaudron noirci par la fumée. Des grilles, placées à différentes hauteurs, permettent d'y accomplir divers types de cuisson. Sur le banc de maçonnerie qui forme l'avant du foyer, on trouve tout un fouillis de cornues, de ballons de verre, de flacons, de serpentins…

— Oui, je suis un peu alchimiste, explique Horace à ses visiteurs étonnés. Je concocte des élixirs pour soigner presque toutes les maladies. Mais je sais aussi préparer du café. Élyse, veux-tu allumer le petit bois que j'ai préparé dans l'âtre ?

— Je peux m'en charger, propose Jonathan qui cherche à s'occuper pour tromper son inquiétude.

— Non, Jonathan, je veux que ce soit Élyse qui le fasse.

— Si vous voulez, Horace. Où sont les allumettes ?

— Sans allumettes. Comme hier soir, avec le chapeau du curé.

— Vous croyez vraiment que je pourrai…

— Oui. Fais-le ! Maintenant.

Impressionnée par le ton impératif de son hôte, Élyse se tourne vers le petit tas de bois.

Son instinct lui dicte de regarder la bûchette la plus mince. Celle qui prendra feu le plus facilement.

Il faut que j'y arrive. Cela allait plus vite, hier, parce que j'étais en colère. Mais je n'ai aucune raison de me fâcher, maintenant. Et puis Horace m'a fait promettre de ne plus céder à mes émotions. Brûle, bois. Brûle !

— Pas comme ça, Élyse, intervient Horace. N'y mets aucune passion, ne disperse pas ta force. Accomplis un acte simple, comme de frotter une allumette. Tu dois allumer le feu, et tu l'allumes, sans plus. Recommence.

Élyse se concentre quelques instants puis fixe à nouveau son regard sur la bûchette qu'elle a choisie.

Deux secondes passent.

Brusquement, tout le petit bûcher est en flammes, comme s'il brûlait depuis longtemps. Élyse n'a même pas vu la transition. Elle a voulu que ça brûle, et maintenant ça brûle…

— Merci, Élyse, dit Horace. Je vais continuer.

Une grosse bûche se déplace de la réserve de bois rangée dans un renfoncement du mur et vient se placer dans l'âtre. Aussitôt elle prend feu sur toute sa longueur, sans que le feu ait besoin de prendre le temps de la réchauffer, de la sécher et de s'y propager. Deux autres suivent le même chemin et une grille vient couronner le tout. Horace ne s'est même pas levé de sa chaise.

— Voilà, on va pouvoir préparer le café, maintenant.

Dans la tête du vieux, la petite voix de Ciconia se fait entendre :

— Ça suffit, les démonstrations, Horace. N'exagère pas, tu vas leur faire peur.

— Viens t'asseoir, petite, dit-il sans répondre à l'avertissement. Je vais t'expliquer. Je t'ai fait allumer le feu pour que tu sois bien consciente de tes pouvoirs.

— Je peux donc allumer du feu ! Mais ces bûches, cette grille qui se déplacent tout seuls…

— Oh ! Ça, c'est beaucoup plus facile ! Toi aussi, tu déplaces des objets.

— Moi ?

— Mais oui. Rappelle-toi, les tentures, les suspensions, les tiroirs, l'eau de la rivière, le vent…

— Je croyais que c'était vous.

— Pas du tout. Je t'ai juste un peu aidée. Je te devais bien ça ; tu m'as aussi prêté ta force quand je cherchais à localiser Marc. Je t'ai assistée pour empêcher que tu t'épuises. Manier ces pouvoirs peut être très fatigant quand on n'a pas l'entraînement. C'est aussi pour cela que j'ai moi-même placé les bûches et la grille. Je vais maintenant faire le café de la manière habituelle. Cette petite démonstration n'avait d'autre but que de vous prouver que la magie n'est pas une chose impossible.

— Mais C'EST impossible, Horace ! s'insurge Élyse.

— Chaque chose en son temps, jeune fille. Oublie ta surprise pour le moment. Écoute ce que je vais te dire comme si c'était un conte de fées.

— Tiens ! Tu deviens pédagogue, à tes heures, murmure dans sa tête la voix de Ciconia.

○

— Qu'est-ce qui m'arrive, mon Dieu ? Qu'est-ce qui m'arrive ? se morfond le curé Tancrède en portant à ses lèvres son troisième verre de brandy.

Il le vide d'un coup, frissonne sous l'effet de la boisson forte. Repose son verre.

— La petite Hautbuisson a déclaré qu'elle me jetait un sort, et elle l'a fait ! Mais qu'est-ce que je raconte ? Je suis là en train de trembler comme une vieille commère superstitieuse et de me soûler comme un païen. Elle m'a joué un méchant tour, et j'ignore encore comment, mais elle n'a pas pu me jeter un sort. Ça n'existe pas, les sorts.

Il se lève soudain, les yeux exorbités.

— Garder la tête froide ! Vérifier. Oui, c'est cela, vérifier !

Il se rue vers la garde-robe qui fait face à la porte d'entrée. Il fouille avec fièvre sur la planche, au-dessus de la tringle à manteaux et en extrait sa barrette. Sa vieille barrette qu'il ne porte plus depuis que les prêtres s'habillent comme le commun des mortels.

— Ah ! Je te tiens, à présent, petite peste ! Tu as saboté mon chapeau et tous ceux du magasin général par un tour à ta façon. Mais ma barrette, ma bonne vieille barrette, celle-là, tu n'as pas pu l'approcher. Et je vais te déjouer. Et puis j'irai m'acheter un nouveau chapeau loin d'ici. Tu n'auras pas le dernier mot avec moi, fillette !

Avec un ricanement de triomphe, il se couvre de la barrette.

Il la retire aussitôt. La sensation de chaleur a été immédiate.

Il ouvre rageusement la porte et jette dehors la coiffure qui commence à s'enflammer.

Il referme la porte dans un claquement violent, donne un tour de clé, va se rasseoir, se verse un autre verre.

— La petite sorcière n'avait pas menti. Elle m'a bel et bien jeté un sort. Que vais-je faire, mon Dieu ? Mais non. Ça n'existe pas, la sorcellerie. Oh ! Mon Dieu ! Mais alors… C'est plus grave. Beaucoup plus grave. Cette enfant est possédée par le Démon. La voilà, la vérité. Elle est possédée et le Diable l'a chargée de m'anéantir. Protégez-moi, mon Dieu !

○

— Tu dois savoir, jeune Élyse, que tu appartiens à une espèce très particulière d'êtres humains, continue Horace.

— Vous allez me dire que je suis une sorcière !

— Oui et non. Enfin, si tu veux. Encore que le mot *sorcière* ne veuille rien dire. C'est un de ces mots qu'utilisent les Zibounous pour exprimer les choses qu'ils ne comprennent pas.

— Les Zibounous ?

— Les Zibounous, dans notre langue, sont les humains ordinaires qui constituent la grande majorité des habitants de la planète.

— Êtes-vous en train de me dire que vous voulez m'emmener sur une autre planète ?

— Oh ! Non ! C'est beaucoup plus banal que ça. Mais ne brûlons pas les étapes. Nous parlions des Zibounous.

— Dont je fais partie.

— Non, justement, tu n'es pas une Zibounoue. Toi, tu es une frontalière. Tu es zibounoue par ta naissance, mais, par ton menssana, tu appartiens à un autre monde. Tu es à la frontière entre deux mondes, d'où ton nom de *frontalière*. Le menssana est le principe dynamique qui te permet d'agir par la seule force de ta pensée sur les choses matérielles qui t'entourent.

— La fameuse domination de l'esprit sur la matière ? Un des thèmes favoris de Tancrède !

— Non. L'esprit est une chose encore beaucoup plus élevée que le menssana. Le menssana n'est pas spirituel mais simplement mental.

La voix de Ciconia se manifeste à nouveau dans la tête d'Horace :

— Tu pourrais éviter de mettre ces fiches catégories dans la tête de cette petite. De quoi avons-nous l'air si, avant même de nous découvrir, elle sait déjà qu'il y a des réalités supérieures à la nôtre ?

— Attends un instant, Élyse, s'interrompt Horace, j'ai un message à envoyer par mon menssana.

Il ferme les yeux un instant et réplique sèchement à Ciconia.

— Je regrette, Ciconia, mais vous ne m'obligerez pas à mentir à Élyse. D'ailleurs rien ne m'interdit de lui révéler l'existence des autres sphères. Cela fait partie de la Convention Universelle, vous le savez aussi bien que moi.

— Mais ne va quand même pas trop vite. Tu vas la traumatiser.

— Je sais ce que j'ai à faire et à qui j'ai affaire.

Et le vieux, un peu irrité par cette interruption, rompt la communication, comme un Zibounou en colère raccrocherait le téléphone.

— Voilà, petite, je suis de nouveau à toi.

— Si je comprends bien ce qui vient de se passer, le menssana, c'est comme Internet?

— Un peu, oui, mais Internet est un procédé physique. Le menssana, lui, est mental. Il agit sans ordinateur, sans électricité et avec une puissance illimitée. En quelque sorte, avec le menssana, on est soi-même l'ordinateur.

— C'est pratique, commente Jonathan.

— Tu ne peux pas savoir à quel point!

— Une chose m'échappe. Qu'est-ce que je fais là-dedans, moi? Je suis un simple Zibounou, comme vous dites, et je vous avouerai que je me sens de trop, ici.

— Non, Jonathan. Tu n'es pas un Zibounou non plus. Tu es le compagnon d'Élyse. Une frontalière, instinctivement, ne choisit jamais son compagnon que chez les frontaliers.

— Pourtant je n'ai aucun des pouvoirs d'Élyse. J'allume encore le feu avec une allumette, moi.

— Provisoirement, oui. Mais les pouvoirs sont en toi. Je les ai sondés et je les ai vus. Tu apprendras à t'en servir.

— Comme ça, vous passez votre temps à fouiller les pensées intimes ?

— Pas du tout. Je ne le fais que quand j'ai besoin d'un renseignement indispensable. Et, bien entendu, tout ça demeure confidentiel.

— Il reste que c'est très gênant.

— Tu t'y habitueras.

— Depuis tantôt, vous nous parlez de ce monde mystérieux. J'aimerais que vous le décriviez un peu plus.

— Ce monde, mes enfants, s'appelle Héronia. Et je vais faire mieux que de vous le décrire. Je vais vous y emmener.

7

Danielle, que le chagrin a rendue fragile, a difficilement admis qu'Élyse et Jonathan partent en excursion avec Horace toute une journée.

— Cette rivière me fait peur depuis que Marc s'y est noyé. Et puis où irez-vous ? Elle ne mène nulle part.

— On peut remonter le ruisseau Delorme, a prétexté Élyse. Et il y a des passages dans le marais.

Danielle, à sa manière, est aussi une frontalière. Son menssana, a expliqué Horace, est encore embryonnaire, mais elle a déjà l'instinct. Elle pressent des choses qui lui échappent.

Mais il y a eu ce coup de téléphone du curé.

— C'est samedi, aujourd'hui, Danielle. Vous avez sûrement peu de temps à me consacrer, mais j'aimerais vous rencontrer.

Danielle a répondu qu'elle n'avait pas le courage d'aller jusqu'à Bois-Rouge. Elle a donc accepté que Tancrède vienne et qu'Élyse s'en aille.

Elle préfère ne pas les voir réunis sous un même toit.

Surtout quand c'est le sien.

— Il sera là à dix heures, a prévenu Danielle. Ne reviens pas avant midi ou treize heures. Je ne pourrais pas supporter un nouvel affrontement.

— Horace m'a fait promettre de ne plus attaquer le curé, a répondu Élyse.

— Que mijote encore Horace? Tous ces mystères, ces conciliabules…

— Rien d'inquiétant, maman. Quand je le pourrai, je te raconterai tout.

Cette initiative, Élyse l'a prise sans consulter son vieil ami. Un peu plus tard, dans la chaloupe, il lui en fait le reproche :

— Je t'ai entendu promettre à ta mère de tout lui raconter. Tu n'aurais pas dû.

— Mais c'est ma mère, Horace. Vous m'avez affirmé vous-même qu'elle était frontalière.

— Oui, bien sûr, mais elle n'est pas prête. Et maintenant, elle va se ronger d'impatience.

— Raison de plus pour tout lui dévoiler le plus vite possible. Mais comment avez-vous entendu notre conversation ? Vous n'étiez pas dans la maison. Ah oui, le menssana...

— Eh oui, le menssana. D'accord pour ta mère, mais jure-moi de ne plus me forcer la main. Cela pourrait devenir très dangereux.

— Juré.

— Et tu me laisseras apprendre ces choses-là moi-même à Danielle.

— D'accord.

Le vieux sage lance le moteur, guide l'embarcation jusqu'au milieu du courant et l'oriente à vitesse réduite jusqu'aux abords du marécage.

— Oublions ça, maintenant. Et préparez-vous à vivre une expérience qui pourrait vous faire peur.

— Dans quel genre ? demande Jonathan.

— Par exemple foncer sur un obstacle de toute la vitesse de mon moteur.

— Quoi ?

— Fais-moi confiance, Jonathan, sinon nous n'y arriverons pas.

— Je te jure qu'il n'y a aucun danger, Jo. Je le sentirais.

— Bon, d'accord, mais j'aimerais quand même qu'on m'explique avant.

— Nous allons franchir la frontière.

— C'est loin, l'autre monde ?

— Pas du tout. D'une certaine manière, nous y sommes déjà. Du moins dans l'espace. Nous allons nous matérialiser dans ce que les humains appellent, sans savoir ce que cela veut dire, une «autre dimension». Pour accéder à cette dimension, il faut avoir un passage et une clé. La clé, c'est moi et ma chaloupe. Et le passage, il est droit devant nous.

— Moi, ça me paraît plutôt bouché, par là, observe Jonathan. Il n'y a que des quenouilles et des cabanes de rats musqués.

— Ne conclus pas si vite. D'ailleurs je vais laisser entrer un autre visiteur avant nous.

— Je ne vois personne.

— Lui, répond Horace en montrant le ciel du doigt.

— Le héron bleu ?

— Je le reconnais ! s'écrie Élyse. Il est toujours près de chez toi, Horace. Il a l'air de surveiller.

— C'est ce qu'il fait. Héron Bleu est notre agent de liaison. Mais regardez plutôt.

L'oiseau décrit un large cercle autour de l'embarcation. Voyant qu'Horace lui cède son tour, il prend du recul, plonge au ras de l'eau, vole à quelques mètres de la chaloupe et fonce à toute allure vers le gros rocher gris qui encombre le lit de la rivière.

Alors qu'Élyse et Jonathan croient qu'il va s'écraser sur l'obstacle, il semble se dissoudre dans la roche et disparaît de leur vue.

— Où est-il passé ?

— À Héronia. Sain et sauf, je vous en donne ma parole. À notre tour, maintenant.

Horace lance à fond le moteur hors-bord.

La barque se soulève de l'avant et prend de l'élan.

Au moment où les voyageurs vont se fracasser sur le rocher, un tourbillon verdâtre les submerge. Cela semble être de l'eau mais ce n'est pas mouillé. Et la substance n'offre aucune résistance à la chaloupe qui continue sur sa lancée.

Et puis soudain tout s'éclaire, tandis que le grondement du moteur s'estompe.

Élyse et Jonathan se retrouvent, ébahis, flottant sur un immense dallage, dans un univers dépourvu de tout objet.

Il y a eux, Horace et la barque, rien d'autre.

— Bienvenue à Héronia, annonce leur guide.

— C'est juste ça, Héronia ? se plaint Élyse, franchement déçue. Un immense plancher de tuiles sans rien dessus ?

— Il faut reconnaître, ajoute Jonathan, que c'est un peu dépouillé.

— Taisez-vous, petits impertinents, répond Horace en riant dans sa barbe. Vous n'avez encore rien vu.

— Mais qu'y a-t-il à voir ? maugrée Élyse, boudeuse.

— Héronia est un monde aussi complexe que le vôtre, mes enfants, et je vous le ferai visiter. Mais nous devons d'abord nous rapporter au maître des lieux. Pour cela, je vais vous emmener dans la salle du rapport.

— Ton bateau va naviguer sur un plancher de céramique ?

— Pas vraiment, non. À Héronia, on ne se déplace pas, les endroits se matérialisent autour de nous. N'oubliez pas que nous sommes dans un monde mental. Attention ! Laissez-moi me concentrer.

En quelques instants, tout devient flou autour d'eux. Puis ils découvrent un décor composé de murs d'eau et de fontaines.

Le héron bleu, qui les a précédés de peu, s'y trouve déjà, attendant devant l'estrade.

Le chuintement d'une porte d'eau qui s'ouvre et se referme leur fait tourner la tête.

— Vous éclairez mon cœur, grand Marabout, récitent de concert Héron Bleu et Horace.

— Vous m'éclairez aussi, répond le sphérarque en s'installant sur son siège surélevé. Ah ! Je vois que nous avons de la visite.

— Vous devez dire : «Vous éclairez mon cœur», leur souffle mentalement l'agent de liaison, sans ouvrir le bec.

— Laisse, Héron Bleu. Ils ne sont pas encore au courant. Ils auront tout le temps de se faire à nos usages. Qui est arrivé le premier ?

— Moi.

— Bien, dit le sphérarque. Audience privée de Héron Bleu et Marabout XVIII.

— C'est la formule consacrée, explique Horace. Nos menssanas sont temporairement écartés. Ils vont pouvoir échanger sans que personne d'autre puisse les entendre.

— Je vois : des cachotteries !

— Appelle ça comme tu veux, Élyse. Mais n'oublie pas que Héron Bleu est un agent de liaison. Un agent secret, si tu préfères.

— Bref, un espion.

La conversation va bon train entre Héron Bleu et Marabout.

— Comment cela s'est-il passé ?

— Un peu vite à mon goût, mais correctement. Les deux jeunes ont indubitablement les pouvoirs nécessaires pour être admis sur Héronia avant leur translation. Surtout la petite.

— Ma femme est d'accord ?

— Oui, dans l'ensemble. Mais Ciconia trouve comme moi que cette petite Élyse est difficile à cerner. Il ne serait pas mauvais de lui faire suivre un stage de patience.

— Mais dis-moi, Héron Bleu, est-elle apte à prendre la relève d'Horace ?

— Oui, sans nul doute. Mais il faudra d'abord lui inculquer la prudence et la modération.

— J'ai bien hâte d'entendre les commentaires de Ciconia.

— Je vous la retransfère quand vous voulez.

— Merci, Héron Bleu. Audience publique !

Aussitôt la conversation mentale englobe à nouveau Horace et ses protégés.

— Horace, dit Marabout, je te remercie d'avoir hébergé Ciconia. J'espère que ça ne t'a pas trop fatigué.

— Pas trop, non. Ciconia est une passagère plutôt calme. Mais le fardeau commence néanmoins à me peser sur le menssana.

— Je comprends bien ça, cher ami. Héron Bleu, veux-tu rétablir le transfert, s'il te plaît ?

L'oiseau se tourne vers Horace, le dévisage.

Pendant quelques instants, il ne se passe rien, jusqu'à ce qu'Horace pousse un profond soupir.

— Ouf! fait-il en s'étirant. Je me sens plus léger. Sans vouloir accuser votre épouse de pesanteur mentale, grand Marabout.

— Le galant homme! dit en riant le sphérarque. Héron Bleu, je te prie de réactiver ma femme. Tu connais le chemin.

Héron Bleu disparaît aussitôt et, sans transition, un clapotis de porte annonce une nouvelle entrée.

— Bonjour, ma chérie. Tu es resplendissante, aujourd'hui.

— Je dois dire que cette désactivation prolongée m'a fait le plus grand bien. Nous devrions faire une cure de sommeil de temps en temps. Cela nous rajeunirait.

— Eh! oui, il faudra y penser plus souvent. Nous n'avons plus soixante-dix ans…

— Mais quel âge avez-vous donc? sursaute Élyse.

— Tu es indiscrète, lui reproche Jonathan.

Puis, s'adressant à Ciconia :

— Vous éclairez mon cœur, Ciconia.

— Oh! Je vois que Jonathan a déjà appris les bonnes manières héroniennes. Tu m'éclaires aussi. Pour répondre à ta question, Élyse, j'ai cent quatre-vingt-trois ans.

— Vous ne les paraissez pas !

— Quelle délicieuse franchise ! Il faut que tu saches que, sur Héronia, l'âge, comme toute chose, est purement mental. Quand nous nous mettons en sommeil corporel, il s'efface petit à petit.

— Vous êtes donc capables de remonter le temps ?

— Non, pas exactement. Mais nous pouvons en effacer les effets par le sommeil.

— À votre place, j'aurais toujours seize ans, comme moi !

Marabout et Ciconia rient de bon cœur de la spontanéité d'Élyse.

— Hélas ! chère enfant, la vie mentale n'est pas aussi simple. Mon époux et moi avons de lourdes charges et peu d'occasions de nous désactiver à long terme. Et la désactivation nocturne suspend seulement l'action du temps sans l'effacer.

— Combien d'années pouvez-vous vivre sans cure ?

— Est-ce que je sais ? Quelques siècles, sans doute. Je l'ignore. Personne n'est encore allé jusqu'au bout.

— Vous ne mourez pas, alors ?

— Euh! Oui et non. En fait, il n'y a que sur Terre que l'on meurt vraiment. Partout ailleurs, on fait sa translation avant.

— Partout ailleurs? Mais combien y a-t-il de ces mondes parallèles?

— Tu l'apprendras plus tard. Mais assez bavardé, Élyse, car il y a plus urgent. J'ai une belle surprise pour toi.

On entend à nouveau le bruit de la porte aquatique et un jeune personnage vêtu de duvettissu indigo fait une entrée remarquée.

— Marc!

Élyse se précipite dans les bras de son jeune frère, les larmes aux yeux. Le frère et la sœur s'étreignent longuement, trop émus pour pouvoir exprimer leur joie. Et puis quelques mots arrivent à se former.

— Tu as l'air si vivant!

— Je ne l'ai jamais autant été.

Élyse le touche, comme pour s'assurer qu'elle ne rêve pas.

— Oh! Marc, c'était terrible. Tes funérailles... J'ai jeté tes cendres dans cette rivière que tu aimais tant.

— Héron Bleu m'a raconté.

Ils sont seuls au monde depuis quelques instants. Ils ont un vide à combler : celui de ces quelques jours où ils ont passé sur des chemins différents. Après s'être raconté dans le détail ces fragments de vie séparés, ils prennent peu à peu conscience qu'il y a d'autres personnes autour d'eux, fort émues d'assister à leurs effusions.

Élyse, avec la même spontanéité, abandonne les bras de son frère pour se jeter dans ceux de Ciconia, qu'elle gratifie de deux baisers sur les joues.

— Ciconia, vous êtes la plus gentille reine de tout l'univers !

Marabout et sa compagne, les yeux humides d'émotion, s'amusent beaucoup du bonheur d'Élyse et de son charmant manquement à l'étiquette.

— Oh ! Marabout, Ciconia. C'est le plus beau jour de ma vie ! Héronia est un monde merveilleux. Il m'a rendu mon frère ! Mais comment se fait-il que je le retrouve ici ? Et vivant ?

— C'est très simple, répond le sphérarque. La mort est un processus physique qui n'affecte que ton monde physique. Lorsque vous mourez, votre corps physique reste sur Terre et votre corps mental opère sa translation vers le monde mental d'Héronia.

— Je me suis réveillé au fond de l'eau pour remonter à la surface, enchaîne Marc. Peu après, j'ai abouti ici. Marabout m'a expliqué que mon corps terrestre était resté là-bas et que j'avais effectué ma translation.

— Pourras-tu revenir sur Terre ?

— Non, Élyse, intervient Marabout. On ne peut revenir en arrière.

— J'aurais tant aimé le ramener à la maison !

— C'est impossible, mais tu pourras bientôt donner des nouvelles de lui à tes parents. Il n'est pas exclu, même, qu'ils puissent venir le voir sur Héronia, puisqu'ils sont frontaliers.

— Je suis tellement heureuse de revoir Marc vivant que je passerais le reste de ma vie sur Héronia !

— Voilà une décision qui est peut-être un peu hâtive, conteste Marabout.

— Il faut mourir d'abord, précise Marc. Et c'est la chose la plus facile au monde. On a tort d'avoir peur de la mort. C'est très doux, on n'arrête d'exister qu'un instant, et puis on devient tout léger. On monte comme dans un ascenseur et on est reçu par Marabout et Ciconia.

— Tu n'as aucun regret?

— Si. Le chagrin que j'ai causé à ma famille. C'était comme une chaîne qui me retenait en arrière. Mais tu viens de la briser par ta présence.

— Avant de songer à t'installer, tu aimerais peut-être visiter, Élyse? propose Ciconia. Que diriez-vous, mes enfants, d'une petite promenade dans notre monde, avec Horace comme guide?

Mais Élyse a un projet plus urgent que de satisfaire sa curiosité.

— Je veux d'abord annoncer à mes parents que Marc est vivant.

Jonathan, qui sait garder les pieds sur terre, s'y objecte:

— Tu trouveras ta mère en compagnie de Tancrède Bérubé et le conflit va reprendre.

— Mes parents vont commencer à s'inquiéter s'ils ne nous voient pas revenir.

— Aucun danger, déclare Marabout. Le temps, lui aussi, est un concept mental. Il n'a pas la même portée ici et sur Terre. Depuis que vous avez franchi le gros rocher, il ne s'est pas passé plus d'une seconde dans le monde matériel.

— Alors, profitons-en, mais pas trop longtemps. Je suis impatiente de tout raconter à maman.

— Par où voudriez-vous commencer? demande Horace.

— Je ne sais pas, moi. Vous devez bien avoir des villes, par ici?

— Tes désirs sont des ordres, ma chère. En ville pour Jonathan, Élyse, Marc et moi-même!

Ils se retrouvent instantanément dans une large avenue qui semble s'étirer jusqu'à l'horizon. Le pavement, comme dans la salle du rapport, est de marbre bleu pâle. Les maisons de pierre bleu-mauve bordent l'artère. La ville tout entière donne l'image d'un immense camaïeu de bleus.

— Mais où sont les gens? s'inquiète Jonathan.

— Chez eux, explique Marc, qui s'est improvisé guide touristique. Ou alors là où ils ont désiré se trouver.

— Plutôt tranquille, commente Élyse, déjà déçue. Il n'y a pas de véhicules?

— Bien sûr que non. Ils sont inutiles, puisqu'on ne se déplace pas physiquement sur Héronia.

— Toutes ces maisons identiques, c'est un peu monotone. Et où font-ils leur épicerie?

— Ils ne la font pas. Ils pensent à ce dont ils ont besoin et tout apparaît sur leur table. Tout préparé s'ils le désirent. Il y a cependant quelques épiceries pour certains humains qui préfèrent garder les habitudes qu'ils avaient avant leur translation.

— J'aimerais en voir une.

— D'accord.

— Mais avant, Marc, je voudrais éclaircir un point. J'ai vu Marabout se mettre en audience privée avec Héron Bleu. Est-ce permis à tout le monde, sur Héronia?

— Bien sûr, sinon aucune intimité ne serait possible entre les Héroniens.

Élyse se concentre et lance d'une voix forte et claire:

— Audience privée entre Élyse, Marc, Jonathan et Horace!

— Élyse! Pourquoi as-tu fait ça? lui reproche Horace.

— Pour avoir la paix. Je trouve qu'il y a un peu trop d'espions et de surveillants sur Héronia. Quand je pense que Héron Bleu ne perd pas un de mes gestes depuis je ne sais combien de temps! C'est comme si j'étais à l'école. Ou à Bois-Rouge, quand Tancrède me guette derrière ses rideaux.

— Ce n'est pas très courtois envers nos hôtes.

— Vous croyez que ça a marché?

— Assurément, puisque tu as les pouvoirs d'une Héronienne. Ni Marabout ni Ciconia ni Héron bleu ne peuvent plus nous suivre, à présent. Annule l'audience privée. Tu n'as qu'à dire : «Fin de l'audience privée». Toi seule peux le faire, maintenant.

— Merveilleux! J'ai l'impression de fuguer! Je vous en prie, Horace, ne m'obligez pas à mettre fin à notre isolement.

— Pas trop longtemps, alors.

— Juste le temps d'aller voir l'épicerie.

— D'accord, mais pas une minute de plus.

— Promis! Merci, Horace.

— Allons-y, maintenant, s'impatiente Marc. Restons bien groupés ; il y a souvent beaucoup de monde dans ces endroits.

Élyse ressent un malaise depuis quelques instants. Elle trouve Marc bien changé. Il parle comme un adulte. Il n'y a plus rien d'enfantin, chez lui, depuis qu'ils ont quitté la salle du rapport. Mais la joie de le sentir près d'elle efface ce malaise.

Les quatre voyageurs se retrouvent effectivement dans une foule assez dense.

Encore une fois, Élyse est déçue. Il y a, comme dans un supermarché géant, des rayons à perte de vue. Des rayons ordinaires, des rayons réfrigérés, des rayons de surgelés. Mais tous sont absolument vides.

— Ils n'ont rien à vendre, Marc ?

— Pense à ce qui te ferait plaisir.

— J'aimerais bien un petit rafraîchissement.

Immédiatement, les rayons se remplissent. Il y a partout des bouteilles et des cartons de toutes les boissons imaginables.

Élyse se choisit une cannette de soda à l'orange et aussitôt tout le reste de l'approvisionnement disparaît.

Depuis quelques instants, Marc s'est accroché au bras de sa sœur.

— Je sais, Marc, tu n'as jamais aimé la cohue. Sortons d'ici. Où se trouve la caisse, Horace ?

— Il n'y en a pas. On ne paie pas, sur Héronia, puisque tout est mental. Il n'y a que sur Terre que les gens se font payer pour leurs idées. Et ce n'est pas toujours un bon achat pour leurs clients !

Une grande agitation se manifeste quelques rangées plus loin. On entend des cris de protestation et des huées.

— Je vais voir ce qui se passe, propose Jonathan.

Marc se serre contre sa sœur et lui glisse furtivement à l'oreille :

— Attention, Élyse, nous sommes en danger. Fais ce que je te dirai.

Devant eux surgit un objet rond d'autant plus bizarre qu'il est irisé de toutes les couleurs, chose étrange dans ce monde bleu.

— Des anars ! crie quelqu'un à côté d'eux.

— Qu'est-ce que c'est ?

— Des anarchistes, prévient Horace. Ils voyagent d'un monde à l'autre dans leur bulle.

— Tiens-toi prête, chuchote Marc à sa sœur. Nous sommes dans un piège mortel. Les anars sont venus nous sauver. Quand je crie «go !» tu plonges avec moi dans la bulle. C'est notre seule chance d'en sortir vivants. Les autres sont déjà prévenus.

La bulle multicolore est maintenant tout près d'eux. À travers sa membrane mouvante, on aperçoit des silhouettes humaines.

— GO !

Marc entraîne son aînée dans un plongeon vers l'avant. Elle se retrouve les quatre fers en l'air dans une espèce de gros sac en plastique translucide. Deux personnes s'y trouvent déjà. L'une d'elles donne un ordre bref.

— Retour à la base, pilote.

— Attendez, dit Élyse qui se rend compte que Marc ne l'a pas suivie. J'avais trois compagnons !

— Ils ne risquent rien, répond brièvement l'homme, sans quitter des yeux le pilote.

8

Héron Bleu est retourné à la Rivière-aux-Souches. Après le départ de leurs visiteurs, Marabout et Ciconia s'attardent quelques minutes pour savourer l'heureuse situation et mettre sur pied quelques projets concernant Élyse. Puis ils regagnent leurs appartements.

Une surprise désagréable les y attend.

Marc Hautbuisson est là, debout près de la porte. Il s'apprêtait à les rejoindre dans la salle du rapport. Il a l'air hébété, comme quelqu'un qu'on vient d'arracher à un profond sommeil.

— Marc! s'écrie Ciconia. Mais qu'est-ce que tu fais là? Tu n'es pas parti avec eux?

— Euh! Si… Que m'est-il arrivé? J'ai perdu connaissance, je crois. Qui m'a ramené ici? Où est ma sœur?

— Mais tu viens de quitter la salle du rapport avec elle!

— Nous nous sommes fait piéger, dit Marabout, la mine grave. Oh! On me rappelle en salle du rapport. Reste avec Marc, Ciconia, et protège-le. Je reviens tout de suite.

En salle du rapport, Horace et Jonathan piétinent, visiblement énervés.

— Que faites-vous là? Votre visite est déjà terminée? Où est Élyse?

— Nous l'avons perdue dans le super-marché de Ville-aux-Aigrettes.

— Perdue?

— Les anars l'ont enlevée dans une bulle, explique Jonathan, furieux. Marc aussi a disparu.

— Non, Marc est ici.

— J'ai peur de comprendre, frémit Horace.

— Eh bien moi, au contraire, j'aimerais comprendre! gronde Jonathan. Je commence à en avoir assez de vos charabias mystérieux.

— Ne te fâche pas, Jonathan. Venez dans mes appartements, je vais vous expliquer.

De l'autre côté de la porte d'eau, Ciconia et Marc rongent leur frein dans un vaste salon. Tous s'assoient, sauf Jonathan qui arpente nerveusement la pièce.

— La situation est préoccupante, commence Marabout.

— Où est Élyse ? lance Jonathan.

— Je veux la voir, ajoute Marc.

— Elle a été enlevée par les anars. Des errants qui vivent en marge de toutes les sphères. Ils ont le pouvoir de se rendre invisibles.

— Je les ai bien vus, pourtant. Ils étaient deux, dans une espèce de ballon.

— Une bulle. Ils n'emploient ce moyen de transport que pour se déplacer sous leur forme physique. Et pour enlever Élyse, ils avaient besoin d'un support physique.

— Je n'ai rien vu, moi, proteste Marc, incrédule. J'étais avec vous au supermarché et brusquement, j'ai été comme assommé. Et en revenant à moi, je me retrouve ici.

— Ce que je ne saisis pas, c'est que je t'ai vu entraîner ta sœur dans la bulle et que je te retrouve ici. Quel jeu joues-tu ?

— Calmez-vous, les gars, intervient Horace. Je vais vous expliquer. Celui qui a poussé Élyse dans la bulle n'était pas Marc, mais une projection.

— Une de leurs armes favorites, précise Marabout. Ils ont désactivé Marc, l'ont immédiatement renvoyé ici et ont ensuite utilisé son menssana pour créer une projection à leurs ordres. Ils sont capables de réaliser tout cela en une seconde.

— Désactivé ! s'écrie Marc. C'était donc ça, mon évanouissement ?

— Mais Marc était tout à fait matériel, au supermarché. Je l'ai touché.

— Bien sûr, Jonathan. Une projection est une illusion psychosensorielle. C'est indécelable.

— Et ce Marc-ci, c'est le vrai, ou une autre illusion ?

Ciconia lui prend le bras, cherchant à l'apaiser.

— Oui, Jonathan, tu peux lui faire confiance. Je viens de sonder son menssana.

— Mais je suis surpris de constater que nous n'avons perçu aucun message de détresse venant d'Élyse, s'étonne Marabout.

— Elle a mis tout notre groupe en audience privée en arrivant en ville, explique Horace.

— Quelle folie! se désole Ciconia. Pourvu qu'elle ait la présence d'esprit de rétablir le contact. Elle seule peut le faire. À moins que nous ne décrétions l'alerte générale.

— Mais alors? Qu'est-ce que vous attendez?

— Non, Jonathan, tranche Marabout. C'est beaucoup trop dangereux. Une alerte générale supprime les audiences privées dans toutes les sphères. C'est le chaos complet. Et ta sphère est toujours celle qui en souffre le plus.

— De quelle manière?

— La panique, Jonathan. En temps normal, les Terriens ignorent la télépathie. La dernière fois que nous avons utilisé l'alerte générale, il y a des milliers d'années, les humains se sont entretués. Chacun d'eux pouvait capter les pensées de tous les autres et ça les a rendus fous.

— Tout ce qui m'intéresse, coupe Jonathan, c'est de récupérer Élyse.

— Bien dit! approuve Marc.

— Mais comment comptes-tu t'y prendre ? demande Marabout, visiblement inquiet.

— Je ne sais pas encore. Cela dépendra des pouvoirs que vous allez me confier.

— Mais nous ne pouvons t'en donner aucun. Tu te tuerais ! Pense à Élyse ; elle en avait, des pouvoirs. Et regarde dans quel pétrin elle s'est plongée.

— Héron Bleu peut-il nous aider ?

— Il est sur Terre.

— Alors je sais ce qu'il me reste à faire. Si j'ai bien compris les remarques autour de moi, les passages de bulles sont assez fréquents. La prochaine fois que j'en verrai une, je ferai comme Élyse ; je plongerai dedans.

— Tu mourras !

— Oh ! Non, je ne crois pas. J'ai bien vu Élyse entrer dans la bulle, se redresser et parler avec les anars qui s'y trouvaient. Et puis tant pis. Si je meurs, je mourrai un peu plus près d'Élyse. De toute manière, vous ne me laissez pas d'autre choix…

Horace s'est dressé, levant la main pour interrompre ce dialogue qui s'envenime.

— Je regrette d'avoir à vous contredire, Marabout, mais Jonathan n'est pas un

Zibounou qui ne pense qu'à se battre. C'est au contraire l'amour qui le pousse. Il mérite de recevoir les pouvoirs qu'il réclame. Et que vous êtes en mesure de lui donner.

— Horace ! C'est un secret !

— Oui, Marabout. Un secret que je suis prêt à divulguer pour aider Jonathan.

— Horace a raison ! s'écrie Ciconia. Ce jeune homme a déjà le pouvoir de l'amour. Donnons-lui les autres !

— Toi aussi, Ciconia ?

— Oui, Marabout. Nous vivons une situation exceptionnelle ; nous n'en sortirons qu'en prenant des mesures exceptionnelles.

— D'accord avec Ciconia ! intervient Marc. Je fais cause commune avec Jo pour retrouver ma sœur.

— Mais tu as une autre mission à accomplir ! Tu dois retourner achever ta dernière incarnation terrestre pour compléter ton menssana.

— Je remplirai ma mission quand Élyse sera revenue.

— Bravo, Marc ! applaudit Ciconia.

Tous, maintenant, sont debout autour de Marabout qui n'en mène pas large. Ses épaules s'affaissent, dans un mouvement de résignation. Il pousse un profond soupir et, d'une voix blanche, vibrante de peur :

— Vous avez gagné. Je ne sais pas où tout cela nous mènera, mais je vous aiderai.

○

Le curé Tancrède Bérubé, sur ces entrefaites, est arrivé chez Danielle et Jacques Hautbuisson. Il est nu-tête. Les rares mèches qui lui restaient, roussies par les trois chapeaux incendiés, lui donnaient l'air d'un sinistré. Il a dû se résoudre à les raser pour se donner une allure présentable. Son crâne nu, marbré de brûlures rouges le font paraître encore plus dur, encore plus sinistre.

— Qu'est-il arrivé à vos cheveux, monsieur le curé ? Vous devriez vous couvrir ; vous avez des coups de soleil sur la tête.

— C'est justement de cela que je suis venu vous entretenir, mes enfants, dit lugubrement le vieillard.

— Si je peux vous aider, propose Danielle, compatissante…

— C'est de votre fille qu'il est question. Elle n'est pas ici ?

— Non. Nous préférons qu'elle ne soit pas là quand vous y êtes. Il faut laisser les esprits se calmer.

Tancrède paraît soulagé par l'absence de son ennemie.

Il s'installe dans le siège qu'on lui propose.

Il aborde la question :

— Votre fille, mes enfants, court un grave danger.

— Elle ne risque rien. Elle est en excursion avec Horace Larivière. Et Jonathan est là pour la protéger.

— Je ne parle pas d'un danger physique. Et la présence d'Horace Larivière à ses côtés me remplit de crainte. C'est lui, à mon avis, qui l'a entraînée dans l'abîme où elle se trouve.

— Soyez plus clair, monsieur le curé, l'invite Jacques. Je ne vous suis pas.

— Votre fille, mes amis, m'a jeté un sort.

— Un sort ? s'étonne Danielle, incrédule. Mais vous disiez vous-même que ça n'existait pas…

— La sorcellerie n'existe pas, mais il y a plus grave. Votre fille est la proie du Démon.

Jacques et Danielle, peu enclins à prêter foi à ce genre de superstitions, riraient s'ils n'étaient affligés par leur deuil.

— Voyons, monsieur le curé, dit Jacques, les manifestations sataniques, c'est de l'histoire ancienne! On ne trouve plus cela que dans les romans d'épouvante.

— C'est pourtant la triste réalité. Élyse s'acharne sur la personne d'un prêtre. Ce ne peut être que l'œuvre de Satan. Et Horace Larivière a été l'instrument du Malin pour précipiter votre fille dans le piège.

— Expliquez-vous, insiste Jacques qui commence à perdre patience.

— Le sort diabolique que m'a jeté votre fille fait que, dorénavant, chaque fois que je mettrai un chapeau sur ma tête, ce chapeau prendra feu.

Jacques et Danielle, abasourdis devant l'énormité de l'accusation, dévisagent le prêtre sans pouvoir dire un mot.

Puis Danielle, brusquement, relâche la tension qui la broyait depuis la mort de son fils.

Elle éclate d'un rire incontrôlable. Jacques essaie de la raisonner mais, gagné lui aussi par le burlesque de l'accusation, finit par l'imiter.

Tancrède, ulcéré, s'est levé d'un bond et foudroie ses hôtes du regard.

— Honte à vous qui vous moquez de mon infortune ! Malheur à ceux qui se font les complices des ruses de Satan !

Jacques, le premier, parvient à maîtriser son hilarité. Il laisse sa compagne se mordiller les lèvres en gloussant dans son poing fermé.

— Monsieur le curé, redevenons sérieux, s'il vous plaît. Votre histoire de sort est juste bonne pour un mauvais film de série B. Excusez-moi, mais je ne vous crois pas. Je sais que vous avez du ressentiment envers Élyse, mais de là à inventer cette fable…

— Donnez-moi un chapeau, mécréants, et je vous prouverai que je ne mens pas !

C'en est trop pour Danielle. Pouffant à nouveau, elle préfère aller s'isoler en un endroit où elle pourra donner libre cours à cette joie passagère, déplacée, peut-être, mais tellement bonne pour le moral.

Jacques la rattrape devant la garde-robe de l'entrée.

— Qu'est-ce que tu fais, Jacques ? chuchote-t-elle. Tu vas vraiment lui donner un chapeau ?

— Bien sûr ! Comme ça il reviendra sur Terre.

— Laisse-moi le choisir.

Danielle extrait du fond du réduit un superbe sombrero en feuilles de cocotier, souvenir d'un voyage au Costa Rica.

— Il va être tellement chou avec ça !

Elle tend l'exotique parure au curé qui marque un temps d'hésitation. Qu'il ait dû abandonner la barrette pour le chapeau, passe encore, à la rigueur. Mais ce couvre-chef de carnaval franchit insolemment les étroites frontières de sa tolérance.

Il faut pourtant confondre l'ennemi, comme le Seigneur, jadis, confondit saint Thomas.

Il faut aussi faire vite, pour éviter une nouvelle brûlure.

D'un geste ample, empreint du peu de dignité qui lui reste, Tancrède saisit le chapeau par le bord et se le perche sur le crâne.

Sans le lâcher.

Dans la seconde suivante, avant que la sensation de chaleur devienne douloureuse, il retire le sombrero fumant et le laisse tomber à terre dédaigneusement.

Un second cerne roussi sur le plancher…

Des réactions fort contrastées accueillent la fin de la démonstration.

Danielle, terrassée par une violente contre-offensive de fou rire, préfère aller se cacher dans sa chambre.

Jacques, au contraire, retrouve immédiatement son sérieux.

Tancrède l'apostrophe d'un ton où se mêlent la rancune et le triomphe :

— Et alors, homme de peu de foi, vous voilà convaincu, j'espère ?

— Convaincu de quoi ?

— Mais des penchants sataniques de votre fille, bien sûr. Quelle meilleure preuve pouvais-je vous donner ?

— Désolé, mais effectivement, il va m'en falloir une meilleure. Votre petit tour de passe-passe prouve seulement que vous avez un truc pour mettre le feu à votre chapeau. Un peu ridicule, d'ailleurs, de la part d'un homme d'Église. Vous devriez éviter de vous donner en spectacle.

— Oh ! Je vois. De la complicité ! Je n'avais pas soupçonné que les forces du Mal avaient pris possession de toute la famille.

— Holà ! Tancrède, arrêtez votre numéro, maintenant. Même le Vatican a reconnu que les cas de possession n'étaient en général que des dérangements mentaux. Des cas de dédoublement de personnalité. Et les exorcistes de jadis ont cédé la place aux psychiatres.

— Mais ne comprenez-vous pas, malheureux, que ce n'est qu'une période de rémission ? Le Malin prend le temps de se faire oublier et attend, pour frapper un coup décisif, que plus personne ne croie en lui.

Jacques, que l'altercation n'amuse plus, pousse doucement mais fermement le curé hors de chez lui. Tancrède résiste farouchement.

— J'ai un excellent conseil à vous donner, Jacques Hautbuisson, repentez-vous et ne m'empêchez pas d'œuvrer à la rédemption de votre fille.

— Et moi, j'ai trois conseils pour vous, Bérubé. Un, fichez le camp d'ici. Deux, allez vous faire soigner. Et trois, laissez ma fille tranquille.

— Je n'aurai de cesse que de l'avoir sauvée !

— Vous me trouverez sur votre chemin !

— Je vous écarterai de ce chemin comme les ronces et les pierres !

Le saint homme s'en va, drapé dans sa dignité, le crâne luisant, au soleil, d'un feu céleste.

Jacques, lui, s'en va retrouver Danielle. Devant son air préoccupé, elle aussi perd toute envie de rire. La tristesse des derniers jours ne tarde pas à reprendre possession du couple.

— Jacques, il m'inquiète, le curé, avec ses chapeaux flambants. Il m'a l'air sérieusement atteint.

— Il est fou à lier, tu veux dire. Mais attention, il peut devenir un fou dangereux, car il déteste Élyse. Qui sait jusqu'où sa haine l'entraînera ?

9

La chute d'Élyse a été amortie par l'élasticité de l'enveloppe qui l'emprisonne. Marc ne l'a pas suivie. Les deux personnes, un homme et une femme, qui partagent la bulle avec elle, semblent trop affairées pour s'occuper d'elle et l'étrangeté de la situation l'incite au calme. Elle préfère, pour le moment, ne rien tenter avant de savoir ce qui lui arrive.

La bulle, translucide et parcourue de courants colorés, lui permet de voir les silhouettes floues des humains s'agiter autour d'elle. Ils s'écartent de son chemin et leurs cris, à peine audibles, n'ont rien d'amical.

Les anars, d'ailleurs, ne demandent pas leur reste. Le monde d'Héronia s'estompe rapidement et la bulle, à présent, flotte dans le vide. L'homme qui accompagne la pilote se tourne vers la jeune fille. Il est vêtu d'une combinaison d'une pièce faite de la même matière que son véhicule et parcourue, elle aussi, de vagues colorées sans cesse changeantes. Il est grand, mince et ses cheveux ne sont pas bleus comme ceux des Héroniens, mais d'un châtain clair très ordinaire, couronnant de grands yeux d'un noir brillant.

— Bienvenue chez les Spirites, dit l'homme, avec un sourire engageant et un air de profond respect.

— Qui êtes-vous ?

— Je me nomme Noûs. Je dirige cette expédition.

— Vous êtes des anars ?

— C'est le nom que nous donnent les Héroniens. Ils nous traitent d'anarchistes parce que nous ne respectons pas les catégories qu'ils ont établies.

— Que respectez-vous alors ? Pas moi, en tout cas ! Je vous signale que vous venez de me kidnapper, et que je l'apprécie fort peu.

— Je comprends ton ressentiment, Élyse.

— Vous connaissez mon nom?

— Bien sûr, nous t'observons depuis longtemps.

— Encore! Je suis donc entourée d'espions?

— Sois assurée, Élyse, que nous te vénérons profondément et que nous ne te ferons aucun mal.

— Vous m'en faites déjà, puisque je suis votre prisonnière.

— Notre invitée, seulement.

— Dans ce cas, je veux savoir où nous allons et j'exige de communiquer avec les miens.

— N'oublie pas, Élyse, que tu t'es mise toi-même en audience privée.

La gaffe! Élyse se rend compte que si elle n'avait pas eu ce caprice, ses amis auraient pu la suivre et la protéger.

— Audience publique! lance-t-elle.

— Tu devras t'y reprendre un peu plus tard, s'excuse Noûs. Dans une bulle, on est isolé de l'extérieur.

— Alors faites-moi sortir de cette bulle.

— Nous allons le faire très bientôt. Aussitôt que nous serons à destination.

— Vous voulez dire que je pourrai discuter avec mes compagnons? Librement?

— Tout à fait librement, oui. Il est contraire à nos principes d'empêcher les êtres de s'exprimer.

○

Héron Bleu, rappelé d'urgence en salle du rapport, se fait un peu prier pour accepter la tâche que Marabout veut lui confier.

— Tu souhaites vraiment que je reste à l'écoute permanente d'un éventuel message d'Élyse ?

— Oui, Héron Bleu. Toi seul possèdes une perception suffisamment fine pour entendre un message quelles que soient les interférences. Et nous allons avoir besoin de localiser Élyse avec un maximum de précision.

— Et à quoi cela servira-t-il, puisqu'elle est partie avec les anars ? À mon avis, elle est perdue.

— Je me le demande. Après tout, les anars n'ont jamais tué personne.

— Tes propos insultent mon idéal de vigilance, Marabout. Chacun sait que les anars sont des êtres profondément malfaisants.

— Il paraît, oui. Mais Jonathan s'est mis en tête de la retrouver, répond Marabout, un peu gêné.

— C'est de la folie!

— Je sais. Tu iras expliquer ça à Ciconia.

— Je préfère te laisser cette délicate tâche, conclut Héron Bleu avec une pointe de dérision.

Pendant ce temps, un plan de campagne prend forme dans les appartements de Marabout et Ciconia.

Au moment où le sphérarque, suivi de Héron Bleu, arrive à son tour, toutes les décisions ont été prises.

— Au lieu de passer des mois à inculquer les données du pouvoir à Jonathan, nous allons procéder par transfert, explique Ciconia. Mon menssana, cette fois, va être transféré dans le sien.

— C'est tout à fait inhabituel, ronchonne Héron Bleu, l'air hautement réprobateur. C'est à lui de te confier son menssana.

— Je veux renverser la coutume pour mettre notre jeune ami en confiance. S'il décide de ne pas me rendre mon menssana, il est libre de le faire. Je veux ainsi lui prouver la pureté de mes intentions. Le transfert sera exécuté par toi, Héron Bleu, le meilleur agent de liaison d'Héronia.

— Trêve de flatteries, coupe l'intéressé d'un ton hautain. Quand procédons-nous ?

— Tout de suite.

— Je te préviens, dit l'oiseau au jeune homme, tu vas disposer de la vie même de la compagne de mon sphérarque. Aucun Terrestre n'a encore joui d'un tel privilège. Si tu essaies de jouer un tour à Ciconia, j'ai le pouvoir, non de te forcer à lui restituer son menssana, mais de te neutraliser définitivement.

— Serait-ce une menace de mort ?

— La mort n'est rien à côté de ce que je peux faire subir à celui qui nuirait à ma souveraine.

— Merci de détendre l'atmosphère, raille Marc, qui bout d'une impatience grandissante.

Héron Bleu, imperméable à toute forme d'humour, se tourne vers Ciconia :

— Concentre-toi, je vais procéder au transfert. Toi, Jonathan, efforce-toi de chasser toute réticence de ta pensée. Invite mentalement le menssana de Ciconia à prendre place dans le tien. L'opération est sans danger pour toi.

— Et pour elle ?

— Je n'ai pas à critiquer ses décisions.

Ciconia s'étend sur le sofa. Quelques instants plus tard, elle est profondément endormie.

Jonathan, lui, sent sa perception des choses prendre une envergure encore jamais éprouvée. Au début, cela lui donne le vertige, puis la curieuse sensation d'être à l'étroit en dedans de lui-même. Ensuite, sa mémoire se met à grandir. Comme s'il se souvenait en cascade d'une foule de choses qu'il aurait oubliées. Mais il sait bien que ces choses-là, il ne les a jamais sues.

Le transfert est en train de se réaliser. Ciconia lui communique toutes les connaissances dont il aura besoin pour retrouver Élyse.

Horace lui a expliqué. C'est un peu comme installer un nouveau programme dans un ordinateur. Il reste que quand on est soi-même l'ordinateur, l'expérience est assez inoubliable.

Marc, qui se sent étranger à l'action qui se noue, se détourne pour cacher son appréhension.

Dans la tête de Jonathan, la voix de Ciconia se manifeste :

— Arrête de te trémousser. Je n'y arrive pas.

— Je ne bouge même pas, répond mentalement Jonathan.

— Toi non, mais tes idées. On se croirait dans une ruche d'abeilles ! Serais-tu chatouilleux du menssana ? Fais un effort, essaie de te concentrer sur quelque chose de tranquille.

La première pensée calme qui vient à l'esprit de Jonathan est celle d'une belle grosse limace grise sur un mur. L'animal progresse avec une patiente lenteur, en de voluptueuses contorsions de son corps sensuel. Cette vision l'apaise. Il s'assoit.

Un peu plus tard, la voix de Ciconia l'interpelle à nouveau :

— Voilà. C'est fini, dis à Héron Bleu de venir me chercher.

Jonathan transmet le message et l'oiseau reprend le contrôle.

— Tu as maintenant la capacité de contrôler ton menssana. Tu vas me l'ouvrir tout grand. Pour cela, accepte mon intervention et libère le menssana de Ciconia, que je puisse le réintégrer dans son corps.

Jonathan se sent moins à l'étroit dans sa tête. Il réalise que quelque chose sort de lui après y avoir laissé un riche cadeau.

Ciconia soupire, ouvre les yeux et un air de profond dégoût se dessine sur son visage.

— Tu aurais pu penser à autre chose qu'à une limace ! Pouah ! J'avais le menssana tout gluant de bave mentale ! Elle était énorme et en plus, elle était en travers de mon chemin. J'aurais été incapable de sortir si Héron Bleu ne l'avait gobée au passage.

— Si ça ne vous fait rien, éclate Marc, on pourrait peut-être passer aux actes, maintenant ?

○

Élyse voit un paysage flou se dessiner au-dehors de la bulle.

— Nous sommes arrivés, déclare Noûs.

— Je vais pouvoir quitter ce sac-poubelle ?

— C'est une bulle, rectifie Noûs, imperturbable. D'ailleurs nous n'allons pas la quitter ; c'est elle qui va nous quitter. Tiens-toi debout, bien droite.

— Je sens le sol sous mes pieds, à travers la bulle.

— Reste debout. Trouve bien ton équilibre. La bulle va se dissoudre.

Effectivement, les contours du paysage deviennent plus précis à mesure que s'évapore l'enveloppe qui contenait les trois voyageurs.

— Je te présente Nochée, annonce Noûs.

— Enchantée, s'exclame la pilote avec un sourire jovial. Tu m'excuseras, je n'ai pas pu te saluer plus tôt. Il fallait que je reste concentrée sur le pilotage. Les bulles sont parfois des véhicules capricieux.

Nochée est aussi svelte que son compagnon et vêtue, comme lui, d'une combinaison d'une pièce. La beauté de ses hôtes surprend Élyse. On dirait que leurs corps ont été sculptés par un artiste de talent à la formation très académique.

— Salut, Nochée, répond machinalement la jeune fille. Au fait, comment se fait-il que vous puissiez communiquer avec moi, alors que je suis toujours en audience privée ?

— Ce genre de barrières n'existe pas pour des Spirites, explique Noûs. Par contre, tu es libre, à présent, de converser avec tes amis.

○

— Quelle est l'étape suivante ? demande Jonathan, ragaillardi par l'impression d'avoir fait un grand pas sur le chemin qui le mènera à Élyse.

— Tester tes pouvoirs, répond Marabout. Nous allons commencer tout de suite.

— Et moi, qu'est-ce que je fais ? intervient Marc.

— Concentre ta pensée sur la réussite de Jonathan. Ainsi ta force assistera la sienne.

L'adolescent, renfrogné, n'y comprend rien. Il préfère s'isoler dans son propre silence.

— Les pouvoirs de base sont ceux qu'Élyse a déjà utilisés devant toi, poursuit Marabout. Ils s'appliquent aux éléments primordiaux. Horace va t'aider à t'exercer, puisqu'il t'accompagnera dans ta recherche d'Élyse.

— J'ai besoin d'une vasque métallique peu profonde et large d'un mètre. À toi de me la procurer.

Jonathan a beau essayer, rien ne se passe.

— Continue. Tu vas réussir à force de volonté. Ça peut prendre du temps, mais tu y arriveras.

— Du temps ? sursaute le jeune homme. Combien de temps ?

— Ça dépend de tes dispositions personnelles. Certains attendent toute leur vie d'y parvenir.

— Toute leur vie ? Mais je n'ai pas le temps, moi. Je veux retrouver Élyse tant que nous sommes jeunes ! Je veux une vasque tout de suite ! Et que ça saute !

Impressionnée sans doute par la colère de Jonathan, une forme floue, sortie de nulle part, cherche à se concrétiser. Quelques minutes interminables passent, avant que l'objet prenne une apparence concrète.

— Bien, apprécie le vieux. Excellente réaction, mais méfie-toi de la colère ; elle aurait tout aussi bien pu t'envoyer l'objet à la figure.

— Je crois que j'ai réussi parce que je l'ai fait pour elle.

— Magnifique ! Tu viens de trouver ton moteur. Tout ce que tu vas accomplir, désormais, fais-le par amour pour Élyse. Tu viens de franchir un pas de géant. Trouver ton moteur est une chose pour laquelle personne ne pouvait t'aider. Il y a quelques jours, Élyse était violemment stimulée par la mort de son frère, le chagrin de ses parents et l'hostilité de Tancrède. Elle s'est instinctivement servie de cette pression pour exercer ses pouvoirs et provoquer tous les phénomènes étranges auxquels tu as assisté. Elle avait trouvé son moteur.

— Moi aussi, j'aime Élyse, s'écrie Marc. J'ai enfin saisi ce que Marabout attend de moi. Je vais t'aider, Jo.

Horace, imperturbable, continue l'expérience.

— Commande à la terre, à présent. Ordonne-lui de venir dans la vasque.

En quelques secondes, le fond du bassin se couvre de terre, mêlée de cailloux bleutés.

— Quelle force! Quelle efficacité! complimente Ciconia.

— De l'eau, à présent.

La terre sèche laisse apparaître des traces d'humidité. Une fine pellicule liquide monte du gravier et le recouvre peu à peu.

— Mets le feu à l'eau, à présent.

Jonathan, décontenancé par l'absurdité de cet ordre, lève la tête et dévisage Horace, incrédule.

— Fais-le! crie Marc. Pour Élyse!

Jonathan sursaute, se tourne à nouveau vers la vasque. Les flammes qu'il croyait impossibles jaillissent.

— Parfait, dit Horace. Commande au vent d'éteindre le feu.

Jonathan obéit.

— Fais disparaître tout cela, maintenant.

Le jeune homme s'exécute sans hésitation.

— Les résultats dépassent toutes mes espérances, estime Marabout. Tu es très doué, Jonathan, et je commence à croire que tu atteindras le but que tu t'es fixé.

— Une chose est certaine, intervient Horace. Jonathan est beaucoup plus doué que moi lorsque, tout jeune, je me suis vu offrir ma translation et mon poste de maître de bief.

Jonathan ne semble même pas surpris par ses pouvoirs nouveaux. Il est déjà concentré sur l'usage qu'il va en faire pour délivrer Élyse.

10

Le curé Tancrède Bérubé quitte le bureau de police de Bois-Rouge en proie à une colère démente.

Il a raconté ses mésaventures au caporal Boudrias qui l'a écouté en réprimant à grand-peine des bâillements d'ennui.

Même scénario que chez les Hautbuisson. Tancrède réclame un chapeau. Jérôme n'en a pas et il refuse de confier sa casquette à un fou.

De guerre lasse, il lui confectionne un grotesque bicorne en papier journal.

Le curé se dépêche de s'en coiffer avant que le policier n'éclate de rire.

Pour la cinquième fois, le couvre-chef du prêtre prend feu.

Et une fois de plus, la démonstration déclenche l'hilarité de celui qu'elle était censée convaincre.

— Assez ri, conclut Boudrias. J'ai beaucoup de travail, monsieur le curé, et je vous prierais donc de me laisser.

— Vous n'enregistrez pas ma plainte?

— Non. Il n'y a pas matière à poursuite dans tout ce que vous m'avez raconté.

— Mais vous avez pu constater les effets de la malveillance d'Élyse Hautbuisson à mon égard!

— Monsieur le curé, dans notre pays, aucune loi n'interdit de jeter des sorts. Cette petite est un peu en avance sur l'Halloween, voilà tout! Par contre, il y a une loi qui interdit d'allumer un feu dans un poste de police…

— Je vois. C'est toute une coalition. Vous aurez de mes nouvelles, caporal Boudrias.

Bérubé, submergé par une rage incontrôlable, s'empresse de regagner sa cure. Il s'y enferme à double tour et débouche fébrilement une nouvelle bouteille de brandy.

L'alcool l'apaise un peu et sa furie se transforme en un sombre ressentiment. Il se rend compte qu'il est en train de haïr son prochain.

Il n'y peut rien.

Tancrède Bérubé hait, et il sent qu'il ira jusqu'au bout de sa haine.

○

Marabout, qui a repris son rôle de sphérarque, réclame le silence.

— Ne nous emballons pas, mes amis. Jo a reçu de vastes pouvoirs, mais il n'a pas encore retrouvé Élyse.

— Passons à l'action! lancent de concert Jonathan, Ciconia et Marc.

Héron Bleu, outré par le tour peu protocolaire qu'a pris la conversation, s'éclipse et va rejoindre sa rivière.

— Le bilan d'abord. Tu maîtrises à présent les quatre éléments primordiaux: la Terre, l'Eau, l'Air et le Feu. Tu possèdes donc les mêmes pouvoirs qu'Élyse.

— En quoi cela m'aidera-t-il?

— En toute honnêteté, Jonathan, je n'en sais rien. C'est une question qui me dépasse, mais je pense que nous devrions demander la réponse à Ibis Ier.

— Qui est-ce, celui-là ? Un Héronien, d'après son nom ?

— Oui. Le premier de tous. Le premier sphérarque, celui qui a concrétisé la sphère d'Héronia un peu avant le premier essor de l'humanité. Il a laissé un testament. La prophétie d'Ibis Ier, que tous les Héroniens connaissent par cœur :

Quand les humains seront en même temps la vie et la mort de la sphère de Terre, viendra une jeune fille couronnée de flammes qui maîtrisera les quatre éléments primordiaux. Dans une sphère meilleure, elle recevra le cinquième, l'Ambre. Et l'Ambre lui permettra d'atteindre les deux derniers éléments, la Lumière et l'Esprit.

— Qu'est-ce que ce charabia veut dire ? s'impatiente Marc. Si c'est ce texte qui doit nous mener à Élyse, nous ne sommes pas près de la retrouver !

— Ce texte est peut-être notre seule chance de la revoir un jour, soupire Marabout. Traduis-le-lui, Horace.

— C'est beaucoup plus simple qu'il n'y paraît. «Quand les humains seront en même temps la vie et la mort de la sphère de Terre» est facile à comprendre. En clair, cela veut dire : quand les Zibounous seront devenus une menace pour leur propre planète. Cela décrit assez bien la situation actuelle de la Terre : énergie nucléaire, pollution, surpopulation…

— La jeune fille couronnée de flammes, c'est bien sûr Élyse.

— Certainement.

— Formule étonnante ! Je ne peux pas m'empêcher de faire le rapprochement avec la tête de Tancrède, qu'Élyse a plusieurs fois «couronnée de flammes».

— Pas si étonnante. N'oublie pas qu'il s'agit d'une prophétie. Ibis Ier avait deviné à l'avance avec quelles armes lutterait Élyse.

— Admettons, reprend Jonathan, mais où trouver l'Ambre ? Comment l'utiliser ? Et en quoi cela me permettra-t-il de retrouver Élyse ?

— Justement, intervient Ciconia. Je pense que dans l'Ambre se trouve le point de jonction entre toi et Élyse.

Marc et Jonathan la regardent, désorientés. Horace et Marabout sursautent, comme en face d'un danger imminent.

○

Élyse, en compagnie de Noûs et Nochée, se retrouve dans un monde qui ressemblerait en tous points à la Terre s'il n'était étroitement circonscrit. Il y a un sol, un ciel, des nuages, des arbres, des maisons…

Mais au lieu de donner l'impression d'une planète immense, le monde des Spirites ressemble plutôt à une vaste plate-forme aux horizons très rapprochés. Presque à portée de main.

— Où sommes-nous ?

— Ce monde s'appelle Gaïa, explique Nochée. C'est le nom que les Anciens donnaient à la déesse Terre, mère de toutes choses.

— Mais nous ne sommes pas sur Terre.

— Non. Ceci est une particule de nature terrestre créée par la force de nos esprits.

— Une illusion ?

— Oh non, Élyse, pas une illusion ! s'écrie Noûs. Il est temps que tu apprennes une des grandes réalités de l'Univers. Toutes les sphères, la Terre en premier, sont des illusions, sauf la dernière, celle de l'Esprit. La Terre est une illusion sensorielle, Héronia une illusion mentale. Quant à Gaïa, il s'agit d'une projection. Chacun la voit suivant ses propres critères. Selon la personne qui la regarde, elle peut prendre toutes les formes réunies en une seule dans la sphère suprême. Toi, tu la vois comme un morceau de la Terre que tu connais et que tu aimes.

— Nous reprendrons cette explication plus tard, coupe Élyse. Vous m'avez bien dit que je pourrais communiquer avec mes compagnons?

— Oui, fais-le quand tu veux.

— Tout de suite, alors!

Élyse supprime la restriction d'audience privée qu'elle avait mise en place. Ainsi, elle pourra échanger non seulement avec ses proches, mais aussi avec Marabout, Ciconia et Héron Bleu.

○

Jonathan interrompt brusquement le dialogue avec ses hôtes.

— Attendez ! Je reçois un message dans ma tête. Quelqu'un m'appelle. ÉLYSE ! Où es-tu, Élyse ?

Ciconia vient à lui et lui prend fermement le bras. Les autres se rapprochent.

— Ne parle pas, Jonathan, tu gaspilles ton énergie. Communique par la pensée. Et mets-toi en audience privée avec elle ; vous avez certainement des choses très intimes à vous dire.

— Bonne idée. Audience privée de Jonathan et d'Élyse !

— Jo ! Enfin !

— Mon amour, qu'est-ce qu'ils t'ont fait ?

— Absolument rien.

— Mais pourquoi t'ont-ils enlevée ?

La jeune fille n'en sait rien, elle n'a pas eu le temps de le leur demander, tant elle avait hâte d'entendre la voix de son ami. Un détail la surprend, pourtant. Jo s'est mis en audience privée. Il a donc des pouvoirs, lui aussi.

— Je possède un menssana semblable au tien, explique-t-il.

— Merveilleux ! Oh, Jo, je déteste te parler comme ça. J'ai l'impression d'être au téléphone. Je veux te voir.

— J'y travaille. Nous nous reverrons, et plus jamais nous ne nous quitterons. C'est mon seul but, à présent. Il paraît que tu es une personne très importante pour les gens d'ici, une prophétie parle de toi et d'une mission que tu devras remplir.

— Attention, Jo! Ne faisons aucune concession. N'acceptons de discuter de cette soi-disant mission que quand nous serons réunis.

Ils en arrivent à un accord. Ils en discuteront chacun de leur côté avec leurs hôtes, puis mettront en commun tous les renseignements qui leur paraîtront utiles, dans le but unique d'être à nouveau réunis. Ils se donnent une heure, en temps terrestre.

○

Tancrède Bérubé est maintenant au fond du désespoir.

Il vient de jouer sa dernière carte.

Il a appelé l'évêché.

Son supérieur n'y a pas été par quatre chemins. Il lui a carrément conseillé d'aller se faire soigner. Il lui a même proposé de le faire remplacer, le temps nécessaire pour se soumettre à un traitement.

Il n'a fait aucun commentaire concernant les chapeaux incendiaires, mais il a décliné l'offre d'une démonstration à domicile.

— Ils sont décidément tous contre moi, se dit l'infortuné curé. Tant pis pour eux, je me passerai de leur appui.

Il tend la main vers le seul réconfort qui lui reste, la bouteille de brandy.

Et il se met à échafauder son plan de bataille...

○

Élyse, pendant cette heure de dialogue avec les Spirites, apprend beaucoup de choses.

Elle découvre d'abord que Noûs et Nochée sont des gens tout à fait charmants. De plus, ils forment un couple et semblent s'aimer beaucoup.

Ce qui les rapproche d'elle.

Pour tout dire, elle commence à leur faire confiance, prête à oublier le fait qu'ils l'ont enlevée par la ruse.

Noûs et Nochée l'ont invitée dans une des maisons de Gaïa, une coquette petite villa qui rappelle certains cottages victoriens.

Elle aussi vient d'apprendre, de la bouche de ses ravisseurs, la prophétie d'Ibis Ier.

Ainsi, elle est la jeune fille couronnée de flammes de la vieille légende. Un poids immense vient de lui tomber sur les épaules. Sans savoir encore comment, elle pressent qu'elle aura un rôle déterminant à jouer dans la destinée de tout un univers.

— Si j'ai une tâche à accomplir, si grande soit-elle, je l'assumerai, dit-elle. Mais je ne ferai rien sans Jonathan.

— Tu le reverras sous peu, et nous n'essaierons plus de vous séparer.

Quel soulagement ! Mais le chantage ne risque-t-il pas d'être utilisé par les deux partis ?

— Même si j'échoue ?

— Nous ne reviendrons pas sur notre parole.

— Mes moyens me semblent bien limités.

— Ils sont au contraire très étendus, répond Nochée. Tes pouvoirs sont plutôt ceux d'un Spirite. Bien plus élevés que ceux des Héroniens que tu connais déjà.

— Oui, je sais, je maîtrise les quatre premiers éléments, mais pour aller plus loin, il me faut accéder à l'Ambre. J'ai l'impression de me trouver devant un mur infranchissable. Par ailleurs, les Spirites savent voyager entre les sphères au moyen d'une bulle. J'en suis bien incapable, sans quoi je serais déjà partie rejoindre mon ami. Et j'ai essayé le déplacement mental, comme sur Héronia, sans résultat.

— Ce mode de transport n'est en effet possible que sur la sphère mentale, explique Noûs. La bulle est un objet fabriqué par nos esprits à partir du matériau le plus fonda-mental, le plasma universel.

La curiosité d'Élyse reprend le dessus :

— Ça ressemble à du plastique, mais en même temps ça n'a pas l'air matériel. De quoi s'agit-il?

— Le plasma universel est la matière la plus fine de tout l'Univers. Elle est à l'origine et possède les caractéristiques de toutes les autres matières. Tous les corps simples que tu connais, ainsi que leurs composés, sont des dérivés du plasma. Seuls les Spirites ont le pouvoir de s'en servir. Sans lui, nous n'aurions pu amener ton corps physique sur Gaïa.

— Et où allez-vous le chercher, ce plasma?

— Nulle part. Le plasma est partout, omniprésent sous sa forme invisible. Tout baigne dedans et les Spirites puisent dans cette réserve illimitée de matière première au gré de leurs besoins. Tout ce que tu vois autour de toi a été fabriqué par les Spirites à partir du plasma. Jusqu'aux vêtements que nous portons.

— Vous m'apprendrez à construire une bulle ?

— Impossible. Il faut être Spirite pour cela. Mais ne sois pas déçue, ajoute Nochée. Je promets de te servir de pilote.

— Nous verrons ça plus tard. Il y a plus urgent : l'Ambre. Où allons-nous le trouver ? Sur la Terre ?

— L'ambre terrestre n'est que de l'ambre ordinaire, une illusion copiée sur l'Ambre primordial. Mais nous soupçonnons l'Ambre primordial d'être quelque part sur Héronia. Le Bâton d'Ambre qu'Ibis Ier avait joint à son testament prophétique.

— Jonathan me l'aurait mentionné. Il m'a parlé d'Ambre, mais ne m'a jamais dit qu'il détenait le Bâton d'Ibis Ier.

— Les Héroniens se seront bien gardés de le lui donner ou même de lui en parler.

Surtout en sachant que Jonathan est en relation avec des Spirites.

— Encore des cachotteries !

— Disons plutôt un équilibre de forces, corrige Nochée. Il faut que tu saches encore deux choses. La première est que le testament d'Ibis Ier a été morcelé. Les Spirites possèdent la seconde moitié de la prophétie. Et une des sphères, probablement Héronia, détient le Bâton d'Ambre primordial d'Ibis Ier.

— Quelle est la suite de la prophétie ?

— Tu la connaîtras bientôt. L'autre chose qu'il me reste à te dire, c'est que la seconde partie de la prophétie se réalisera à partir du moment où la jeune fille de la légende, c'est-à-dire toi, détiendra le Bâton d'Ibis Ier.

— Je commence à saisir, dit Élyse. Avant, vous aviez la fin de la prophétie et Marabout le Bâton. Vous étiez donc à égalité. Maintenant, vous m'avez en plus, ce qui vous met en position de force pour négocier. Bref, vous m'avez kidnappée pour vous servir de moi comme monnaie d'échange. Pour faire pencher la balance de votre côté avant que Marabout ne le fasse à son profit. Je vous trouve sordides. Dommage, j'ai failli avoir de l'amitié pour vous…

11

Sur Gaïa, une heure s'est passée en vaines négociations. Élyse a exigé que les Spirites la reconduisent sur Héronia. Noûs et Nochée ont refusé, prétextant que c'était trop dangereux.

Dangereux pour qui? Pour la réalisation de la prophétie d'Ibis Ier, lui a-t-on répondu. Pour elle, aussi. Et pour les Spirites qui ne sont pas les bienvenus sur Héronia.

Mais Élyse a ses priorités. D'abord retrouver Jonathan. Ensuite se faire assurer de la pureté d'intentions de chacun.

Sinon, elle a la ferme intention de retourner chez elle dans la barque d'Horace et de laisser Héroniens et Spirites se débrouiller avec leur prophétie et leur Ambre.

À prendre ou à laisser !

Élyse tourne le dos à ses hôtes pour établir la communication avec Jonathan.

— Audience privée d'Élyse et Jonathan !

— Élyse, intervient Nochée, je te rappelle que tu ne peux exclure un Spirite de tes conversations mentales. Si tu veux, nous allons te laisser seule.

— Pour que vous m'écoutiez d'un peu plus loin ? Non, restez. De toute manière, je n'ai plus rien à vous apprendre sur le peu de confiance dont je vous honore !

— Les Héroniens, eux, seront exclus de la communication.

— Ceux-là, je n'ai plus rien à leur dire !

— Ne te mets pas en colère, Élyse, tu vas te faire beaucoup de tort.

Mais Élyse n'écoute déjà plus Nochée. Jonathan vient de lui répondre.

— Jo, écoute-moi attentivement. Marabout te cache quelque chose. Il possède le Bâton d'Ambre d'Ibis Ier. Il doit te le remettre pour que tu me l'apportes. Vole-le s'il le faut, mais ne te laisse pas tromper par les mensonges de Marabout et Ciconia. Quand tu auras le Bâton, fais-toi aider par Horace. Je suis sûre qu'il trouvera un moyen de nous réunir.

— Attends, je vais lui parler, il est en face de moi.

— Oh! Et puis non. Mettons-nous en audience publique, nous gagnerons du temps. Audience publique!

Elle entend Jonathan demander le Bâton d'Ambre primordial à Marabout. Le sphérarque, dérouté, ne parvient pas à dissimuler sa surprise.

— Le Bâton d'Ambre? Mais c'est impossible! Je n'ai pas le droit de le donner. Il est la sauvegarde d'Héronia. Tant que les autres sphères soupçonneront que je détiens le Bâton, elles n'oseront jamais nous détruire. D'ailleurs, je ne puis le remettre qu'en mains propres à la jeune fille couronnée de flammes.

— Donc à moi, précise Élyse.

— Encore faut-il que je m'assure que tu es bien la jeune fille en question. Je n'en ai pas eu le temps à cause des anars qui t'ont capturée.

— Les anars s'appellent Spirites et ils ne m'ont pas capturée. Je suis ici de mon plein gré et je partirai dès que j'en aurai la possibilité. Donnez le Bâton à Jo et laissez-le venir me rejoindre.

— Non ! Il tomberait lui aussi dans le piège. Et privée du Bâton, Héronia serait à la merci de ses ennemis.

— Mais quels ennemis, à la fin ?

— Les anars, en premier lieu…

— Les Spirites sont aussi menteurs que vous, mais ils ne sont pas méchants. J'en ai deux à côté de moi. Arrangez-vous avec eux, et qu'on en finisse.

— Communiquer avec des Spirites ? Mais ça ne s'est jamais vu !

— Il y a un début à tout, intervient Ciconia. Depuis qu'Élyse est apparue dans notre vie, beaucoup de choses ont changé. C'est l'indice d'un âge nouveau. La prophétie a commencé à se réaliser.

Noûs choisit cet instant pour se glisser dans la conversation :

— Vous éclairez mon cœur, Marabout XVIII, grand maître du Héron Bleu, sphérarque d'Héronia.

— Qui êtes-vous ? crie Marabout, tremblant de peur.

— Je m'appelle Noûs. Je suis un Spirite. Un anar, si vous préférez. Acceptez-vous de me parler ?

— Euh ! mais… je ne crois pas que…

— Marabout! lance Ciconia, les temps ont changé, je te le répète. Parle-lui, puisque c'est la seule manière de connaître ses intentions. Parle-lui, sinon je devrai le faire moi-même.

— Ah! Non! Cela ne se passera pas en ma présence!

Héron Bleu vient de sortir de son mutisme habituel et, après une moue méprisante, se dématérialise.

— Ah! Bravo! enrage Marabout. Grâce à tes initiatives, je viens de perdre mon meilleur agent de liaison.

— Qu'est-ce qui s'est passé? s'inquiète la voix mentale de Noûs.

— Pas grand-chose, répond Ciconia. Héron Bleu n'a pas accepté que nous ayons un contact avec vous et il s'est volatilisé.

— Je le regrette pour vous, mais les hérons nous haïssent, comme ils haïssent tout ce qui échappe à leurs catégories.

— Je reconnais que les hérons sont plutôt sectaires, admet Marabout qui, sans s'en rendre compte, vient d'engager le dialogue avec l'ennemi de toujours. Il reste qu'ils sont mes seuls agents de liaison avec la Terre.

— Nous pourrions l'assurer pour vous, cette liaison.

— Vous arrangerez vos petites combines un autre jour, coupe Élyse. Je vous rappelle que j'ai une prophétie à réaliser, moi.

— Tu as raison, admet Noûs. Que proposes-tu?

— D'abord, j'exige que vous me donniez pleine autonomie. Je suis la jeune fille de la prophétie, donc la personne la plus importante en ce domaine. Voici mes ordres. Marabout va immédiatement remettre le Bâton d'Ibis Ier à Jonathan. Ensuite, Jonathan et moi irons dans un endroit qui ne soit ni Gaïa ni Héronia. Un endroit neutre où nous serons libres de prendre les mesures qui conviennent.

— Vous n'y arriverez pas sans notre aide, et vous courrez de grands dangers, prévient Nochée.

— Horace est la seule personne en qui j'ai une totale confiance. Il sera donc notre unique conseiller. Héroniens et Spirites se tiendront à sa disposition pour lui fournir tous les renseignements utiles.

— Je ne puis accepter, plaide Marabout.

— Nous sommes d'accord, dit Noûs, sans hésitation.

— Un bon point pour les Spirites ! Qu'est-ce qui vous arrête, Marabout ?

— C'est contraire aux principes…

— Vos principes ne sont pas les miens. Acceptez-vous, oui ou non ?

— Dis oui, Marabout, insiste Ciconia. Tu n'échapperas pas aux changements qui s'opèrent.

— Je ne puis le faire sans trahir mon serment de sphérarque. Mais je peux te déléguer mes pouvoirs, Ciconia. Pour l'affaire qui nous réunit, je t'autorise à prendre les décisions que tu jugeras les meilleures. Mais prends garde de ne pas détruire Héronia !

— Pas très courageux de ta part, mon cher époux, mais j'assume la responsabilité.

— Merci, Ciconia, enchaîne Élyse. Un bon point pour Héronia. Égalité ! Passons maintenant à la première phase de mon plan. Remettez le Bâton d'Ambre à Jonathan.

— Impossible ! crie Marabout.

— Mais, mon chéri, dit Ciconia, toi seul peux le sortir de la salle du trésor.

— Je le sais, mais j'en suis incapable.

— J'irai donc le chercher moi-même !
lance Jonathan.

— Bravo, Jo ! Vas-y ! Je t'appuie de
toutes mes forces.

— Moi aussi, ajoute Marc.

Jonathan sent toute la puissance du
menssana d'Élyse s'additionner à la sienne.
Il est plus fort et plus courageux qu'il ne l'a
jamais été. Et encore plus amoureux, aussi.

Ciconia vient de lui révéler par mala-
dresse la cachette du Bâton.

La salle du trésor.

Il n'a jamais encore opéré de déplacement mental, mais il a confiance en lui. Il
n'hésite pas, se concentre et lance un ordre
par la pensée :

— Dans la salle du trésor !

Il n'a pas l'impression de se déplacer.
Le décor se modifie simplement autour de
lui. Il se retrouve dans une pièce exiguë,
cubique, construite en blocs de quartz bleu.
Au milieu de ce cube s'en trouve un autre,
plus petit qui semble être un immense cristal
d'améthyste bleu-violet.

— Un coffre, se dit Jonathan.

Mais un coffre possède une porte et un
système d'ouverture. Or le cristal géant
ne comporte aucune ouverture, aucune

poignée, aucun clavier numérique. Rien n'indique même qu'il soit creux.

— Tant pis, essayons. Ouverture de la porte !

Mais rien ne se passe. Les pouvoirs tout nouveaux de Jonathan viennent de rencontrer leur premier obstacle.

Élyse, qui l'a suivi mentalement, l'empêche de se décourager.

— Il faut que tu procèdes différemment, Jo. Tu n'as pas donné le bon ordre.

— Mais comment dois-je m'exprimer, alors ? C'était pourtant logique.

— Non, Jo. Tu as ordonné à la porte de s'ouvrir, mais elle ne peut pas t'obéir s'il n'y a pas de porte.

— Compris ! Je change de formule.

Il se concentre à nouveau.

Il se souvient de la manière dont Horace a déplacé des bûches pour édifier un feu. La voilà, la formule.

Il tend le bras.

— Dans ma main, le Bâton d'Ambre.

Cette fois, il se passe quelque chose.

Le bloc d'améthyste, lentement, devient translucide, jusqu'à perdre sa couleur. Puis il devient transparent. Il est en effet plein jusqu'en son centre.

Plein jusqu'aux contours d'un petit cylindre dont il épouse étroitement la forme.

Un petit cylindre limpide de couleur miel.

— Le Bâton d'Ambre d'Ibis Ier!

Le cristal finit par disparaître complètement et le Bâton reste suspendu dans l'air.

Un léger mouvement.

Le Bâton s'anime, s'oriente, s'approche.

Et vient se poser docilement dans la main de Jonathan.

Le jeune homme referme ses doigts sur l'objet. Aussitôt une sensation de brûlure le fait sursauter. Il desserre la pression de ses doigts. La chaleur diminue un peu, puis reprend de plus belle.

— C'est brûlant! Je vais le lâcher!

— Non, Jo!

— Il évalue ton courage! lance Ciconia. Ne le lâche pas. Au contraire, serre-le fermement. Si tu le lâches, il sera perdu à jamais.

Jonathan arrive à peine à contrôler sa main à laquelle tout son corps ordonne de jeter le Bâton.

— Pour Élyse, parvient-il à dire dans un gémissement de souffrance.

D'un coup sec il referme l'étreinte de ses doigts. Il serre avec l'énergie du désespoir. La chaleur augmente au-delà du supportable.

— Ce n'est pas une vraie brûlure, crie Jonathan. C'est mental, comme tout le reste !

Immédiatement, la chaleur s'adoucit. La douleur se fait moins cuisante. Bientôt, il ressent même un savoureux apaisement, comme si le Bâton était en train de répandre un voluptueux onguent sur sa brûlure.

— Très bien, dit alors la voix d'Horace. Tu as remporté l'épreuve, Jonathan. Reviens, maintenant, avec le Bâton.

— Retour avec le Bâton aux appartements de Marabout.

Le jeune homme se retrouve au milieu de ses compagnons dont les réactions sont fort diverses.

Marabout est atterré. Effondré comme un homme dont toutes les valeurs viennent de partir en fumée.

Ciconia est très excitée par la réussite de l'opération mais elle ne sait sur quel pied danser, car elle s'interroge sur la suite de l'aventure.

Marc, piqué par la curiosité, dévore des yeux le Bâton d'Ambre.

Seul Horace donne tous les signes d'une intense satisfaction. Il se ressaisit donc le premier.

— Je suis fier de toi, Jonathan. Tu viens de faire la preuve de tes qualités. Mais avant d'aller plus loin, je pense qu'il faut tirer les leçons de ta dernière expérience.

— Je sais : quand on donne un ordre mental, il faut s'assurer que l'ordre est réalisable. Ne pas vouloir ouvrir une porte qui n'existe pas, par exemple.

— Exactement. Et quand on allume un feu, il faut s'assurer que l'on allume les bûches dans l'âtre, et non pas toute la maison.

— Ou un chapeau ! lance la voix lointaine et amusée d'Élyse.

— Il y a une autre leçon.

— Je ne vois pas…

— Tu n'oublies pas quelque chose, Jo ? Pense à ce que tu viens de réaliser, dit sa compagne.

— Ah ! Oui ! Je comprends. J'ai réussi à surmonter l'épreuve du feu parce que je l'ai fait pour toi, Élyse.

— Bien ! félicite Horace. N'oublie jamais que pour exercer un pouvoir, il faut disposer d'un moteur puissant. Le tien est ton amour pour Élyse.

— Alors il est vraiment très puissant !

— Merci, Jo. Et moi je t'aime tout autant.

— Résumons la situation, poursuit Horace. Pour réussir une action importante, il faut disposer de trois éléments. Un moteur, un pouvoir et une clé. Pour rejoindre Élyse, nous avons le pouvoir et le moteur. Il nous reste à trouver la clé.

— Excellente analyse, apprécie Ciconia. Malheureusement elle explique l'accablement de mon cher époux. Je m'en veux de vous avoir appuyés, car maintenant Marabout a perdu son moteur.

— Quel moteur ?

— La garde du Bâton. Depuis Ibis Ier, les sphérarques d'Héronia sont les gardiens du Bâton d'Ambre.

— Nous sommes désireux de l'aider, dit la voix de Nochée. Il faut qu'il admette que le Bâton est sorti de sa cachette. Rendez-le-lui, et qu'il accepte de le remettre lui-même à Jonathan.

L'ami d'Élyse tend le Bâton à Ciconia :

— Donne-le à Marabout. Cela mérite d'être essayé.

Ciconia avance la main et la retire précipitamment. La sensation de brûlure est insoutenable dès qu'elle tente de saisir le Bâton.

— Il m'est impossible de le toucher tant il est chaud. Je ne peux même pas m'en approcher. Donne-le directement à Marabout.

Jonathan obéit, mais le sphérarque, à son tour, s'aperçoit qu'il lui faut tenir ses mains loin du Bâton. Il se rend à l'évidence. Nul autre que Jonathan ne peut toucher l'Ambre sans subir la cruelle morsure.

La tension monte.

Le désespoir de Marabout fait pitié.

Horace prend les choses en mains :

— Marabout, vous devez à présent vous ressaisir. Ce Bâton d'Ambre qui vous a échappé n'était pas votre seule raison d'être. Vous êtes et restez le sphérarque d'Héronia, grand maître du Héron Bleu.

— Maître de quel Héron Bleu ? gronde Marabout dans un soubresaut de révolte. Il s'est volatilisé !

— Au fait, où est-il passé, celui-là ? demande Marc, tout à fait dépassé par les événements.

— Je vais vous le dire, moi, où il est passé. Il s'est dissocié d'Héronia. Il est allé rejoindre les milliers de hérons terrestres, farouchement solitaires et égoïstes. Plus un seul héron ne m'obéira, désormais.

— C'est très bien ainsi ! lance Ciconia. Héron Bleu ne nous a jamais aimés.

— Je le sais. Les hérons haïssent les humains. Ils méprisent tout ce qui n'est pas héron. Et encore faut-il avoir le bec droit pour trouver grâce à leurs yeux, car ils sont racistes.

— Quelle triste mentalité ! conclut Horace. Ils ont décidément tous les défauts de bien des Zibounous et leur place est parmi eux.

— C'est vrai, admet Marabout. La prophétie d'Ibis Ier est en train de se réaliser, et cela ne peut se faire sans bouleverser l'univers que nous connaissons. Excusez mon moment d'abattement. Il y a deux cent treize ans que je suis sphérarque d'Héronia. À mon âge, les changements font peur.

— Merci, Marabout ! applaudit Ciconia. Je te retrouve enfin ! Laissons les jeunes prendre notre destinée en mains. Ce sera pour nous une excellente cure de jouvence.

○

Sur Terre, un étrange phénomène attire l'attention de Jacques et Danielle Hautbuisson.

Des milliers de hérons, de butors, de bihoreaux et d'aigrettes survolent la Rivière-aux-Souches.

Ils sont en proie à la plus grande agitation et font vibrer l'air de leurs cris assourdissants.

Tous semblent provenir du marécage où trône le gros rocher gris.

Le héron bleu est à sa place habituelle, sous le grand saule. Il chasse à coups de bec tous ceux qui s'approchent de son territoire.

— Dommage que les enfants ne soient pas là pour voir ça, souligne Danielle. Depuis combien de temps sont-ils partis, au fait ?

— Une heure à peine. Mais ils doivent avoir admiré le spectacle ; je les ai vus se diriger avec Horace dans la direction d'où arrivent tous ces oiseaux.

— Je suis sûre qu'ils sont pour quelque chose dans cette étrange migration.

— Qu'est-ce qui te fait croire ça ?

— Une intuition…

12

Tancrède Bérubé sait maintenant ce qu'il a à faire.

Un exorcisme.

Il se sent très fort, malgré son isolement.

— J'agirai seul, se dit-il. J'avais mal choisi mes alliés, voilà tout. Les Hautbuisson, le policier, l'évêque... tous de mauvais serviteurs de la Foi ! Aucun ne s'est montré à la hauteur de la situation ; je les abandonne à leur lâche capitulation.

Il vide son verre et range la bouteille de brandy dans une armoire de la cuisine.

— Plus de boisson, maintenant. Elle m'a apporté le réconfort dans ma solitude, mais il ne faut pas qu'elle vienne émousser la force que je sens grandir en moi.

Le curé a quelques notions d'exorcisme. Le principe est simple. Il faut entrer en contact avec le Malin à travers la personne possédée. Ensuite, faire appel à l'autorité divine pour lui intimer l'ordre de se retirer.

Il a dans sa bibliothèque des livres qui traitent du sujet. Avant d'agir, il va les étudier. Il faut mettre tous les atouts de son côté.

— *Vade retro, Satanas!* La fin de ton règne sur cette malheureuse enfant est proche.

Depuis quelques minutes, un caquetage inhabituel d'oiseaux trouble la quiétude, à l'extérieur de la cure.

Intrigué, Tancrède ouvre sa porte et sort.

Il est accueilli par un concert de cris rauques.

Puis le silence s'installe.

Des milliers de hérons sont posés sur la pelouse, piétinant les plates-bandes et le chemin d'entrée. Les plus petits sont perchés dans les arbres dont les branches plient jusqu'à terre. Ceux qui n'ont pas trouvé de place sont sur le toit.

Tous dévisagent Tancrède.

Au premier rang de ces visiteurs inattendus, il y a un grand héron bleu qui le transperce de ses petits yeux jaunes.

Abasourdi, le curé prend conscience de l'invasion. Il jette un coup d'œil chez les voisins.

Mais non, il n'y a pas un oiseau chez les voisins.

Ils sont venus pour lui, rien que pour lui.

Il se sent envahi par un mélange de panique et de révolte.

— Qui êtes-vous ? Des messagers du Démon venus me défier ?

Il se ressaisit.

— Mais qu'est-ce qui m'arrive ? Je parle aux animaux, maintenant ? Suis-je en train de devenir fou ? Mais non, pourtant. Vous avez bien l'air de vous adresser à moi. Ah ! Je sais qui vous êtes. Vous êtes des messagers divins. On va bien voir…

Tancrède leur envoie un large geste de bénédiction.

Pas un volatile ne bouge.

— Vous acceptez ma bénédiction ! Vous n'êtes donc pas des démons. Vous n'êtes pas des hérons non plus. Oh ! Mon Dieu ! Je sais qui vous êtes !

Il lève les mains au ciel et hurle avec frénésie :

— Vous êtes des anges ! Vous êtes des messagers divins venus me donner la force d'accomplir ma mission. Merci, mon Dieu !

Brusquement, les hérons ont repris leur vol et leurs cris.

Ils se mettent à tourner au-dessus de la cure, en une étourdissante sarabande.

Chaque fois qu'une créature ailée le survole, Tancrède sent grandir sa détermination. Grandir sa force. Grandir sa haine envers Satan et ses suppôts. Grandir sa haine envers cette jeune Élyse dont il sait maintenant qu'il triomphera.

○

Sur Héronia, Marabout XVIII a repris courage et ses amis l'entourent.

Seul Jonathan ne partage pas complètement l'esprit de fête qui anime les appartements du sphérarque. Une fois de plus, il trouve qu'on s'égare et rappelle les autres à l'ordre.

— La première partie de ma mission est accomplie. Il me reste à aller porter le Bâton d'Ambre à Élyse. Puis-je me rendre sur Gaïa, Horace ?

— Surtout pas ! Gaïa est un monde fictif créé par les Spirites. Eux seuls peuvent y aller.

— Pourtant, Élyse s'y trouve.

— Oui, répond la voix de Noûs. Parce que nous l'y avons amenée dans une bulle de plasma. Si tu essayais de la rejoindre, tu te transformerais toi-même en plasma avec le Bâton d'Ambre. Ceux qui voyagent physiquement ne peuvent le faire que dans une bulle protectrice.

— Dans ce cas, comment puis-je me fabriquer une bulle ?

— Par la force de ton menssana. Tu as toutes les capacités pour y arriver, mais tu ne pourrais pas la piloter. Tu te perdrais dans les immensités qui entourent les sphères, et ta fin serait encore plus pénible.

— Je suis pilote de bulle, dit la voix de Nochée. Il m'a fallu des années d'apprentissage pour y parvenir. Et je crois que seuls les Spirites peuvent piloter une bulle.

— Dans ce cas, ramenez-moi sur Héronia, exige Élyse.

— C'est trop dangereux ; les hérons nous guettent et le moindre d'entre eux peut faire éclater une bulle d'un coup de bec.

— Mais vous êtes bien venus me chercher sur Héronia !

— Oui. Nous avons pris un risque énorme. Et nous t'avons recueillie dans un endroit où il y avait beaucoup de monde. Les hérons détestent les foules. C'était notre seule chance.

— Vous m'avez kidnappée pour rien, dit Élyse, puisque cela m'a éloignée du Bâton.

— Non, répond Noûs. Il nous fallait vérifier que tu étais bien la jeune fille couronnée de flammes, et te transmettre la prophétie.

— Eh bien puisque c'est fait, vous n'avez qu'à me ramener sur Héronia après m'avoir remis la seconde partie du testament d'Ibis Ier.

— Nous ne pouvons t'exposer aux hérons.

— Arrêtez de lui mettre les bâtons dans les roues, intervient Marabout, complètement ragaillardi, et mettez-lui plutôt le Bâton d'Ambre dans la main.

— Bien dit, Marabout ! l'encouragent Marc et Jonathan.

— Nous n'avons jamais été les bienvenus sur Héronia, plaide encore Noûs. Et puis les hérons…

— Il n'y a plus de hérons sur Héronia.

— Quoi?

— Il n'y en a plus. Je le sens. Je le sais. D'ailleurs c'est la logique même. Héron Bleu s'est dissocié de nous. Tous les autres hérons ont suivi le mouvement. Depuis toujours, mes agents de liaison ne m'obéissaient qu'avec la permission de Héron Bleu. Il va nous falloir changer le nom de notre sphère.

— Il reste que les Héroniens nous haïssent.

— Ils ne peuvent rien contre vous, et vous le savez bien. Seuls les hérons pouvaient vous nuire.

— Mais où sont-ils, alors?

— Sur Terre, sans aucun doute. Où voulez-vous qu'ils aillent? Il n'y a pas assez d'eau pour eux, dans les autres sphères.

— Noûs! crie Élyse pour mettre fin à cette interminable hésitation. Conduisez-moi sur Héronia. Tout de suite! Sinon nous nous passerons de vous et advienne que pourra…

— D'accord avec Élyse ! appuie Jonathan.

— Puisque je n'ai pas le choix, nous allons partir. Mais je veux que Marabout nous promette sa protection.

— Votre sécurité sera aussi sacrée que la mienne.

— Dans ce cas, nous allons prendre le risque.

— Dites à votre pilote de vous diriger directement dans la salle du rapport d'Héronia. Nous vous attendons.

○

Le voyage en bulle n'est plus une nouveauté pour Élyse. On se place debout, n'importe où, à la queue leu leu, et le chef d'expédition donne l'ordre de départ.

— À Héronia, pilote, salle du rapport.

— Entendu, confirme Nochée. Mais je ne suis jamais allée dans cette salle.

— Tant pis, il faudra chercher.

Un peu plus tard, un paysage bleu et flou se manifeste au-dehors de la bulle. Un paysage dont les sites ne se déroulent pas de manière continue mais se succèdent comme les images d'un poste de télévision aux mains d'un zappeur.

— Qu'est-ce qui se passe ? demande Élyse par-dessus l'épaule de Noûs. On dirait que le paysage a des ratés.

— C'est normal. On ne peut pas survoler un paysage mental. Nochée est en train d'en explorer toutes les facettes.

— Une par une ? Jusqu'à ce qu'elle tombe sur la bonne ? Ça va prendre une éternité !

— Je sais, mais nous n'avons pas d'autre choix.

— Pourtant vous m'avez facilement trouvée quand vous êtes venus me chercher.

— Bien sûr, mais nous te suivions sans bulle, sous notre forme immatérielle, invisible et à l'abri de la colère des Héroniens.

— Vous aviez une bulle, quand vous m'avez enlevée.

— Nous sommes retournés la fabriquer sur Gaïa, puis nous sommes revenus te chercher. Le tout n'a pris que quelques secondes, puisque nous savions où te trouver. Pour ce qui est de la salle du rapport, nous n'avons aucune idée de son emplacement.

— Vous n'avez qu'à me déposer, j'irai demander mon chemin.

— Tu ne connais pas les Héroniens ! S'ils te voient sortir d'une bulle, ils te tueront.

— Ils haïssent donc tellement les Spirites ?

— Plus que tu ne peux l'imaginer.

— Soyons pratiques. Combien de temps faudra-t-il à Nochée pour s'y retrouver ?

— Impossible de te répondre. Nous ne sommes même pas sûrs d'y parvenir.

— Dans ce cas, il faut changer nos plans. Allons sur Terre. Horace et Jonathan pourront nous y rejoindre.

— Comment les préviendras-tu ? De la Terre, il faut un agent de liaison pour communiquer avec Héronia. Donc un Héron. Je doute que tu en trouves encore un pour aller porter le message.

— Et mon menssana ?

— La communication mentale ne fonctionne que sur les sphères supérieures à la Terre.

— Dans ce cas, il y a plus simple. Les Spirites peuvent-ils communiquer avec Marabout quand ils sont sous leur forme invisible ?

— Certainement, sans difficulté.

— Alors voilà mon projet : vous choisissez un endroit où il n'y a personne et vous m'y déposez. Une fois libérée de la bulle, je me transporte immédiatement dans la salle du rapport. Pendant ce temps, vous reprenez la bulle et vous retournez sur Gaïa, abandonnez la bulle et revenez sous votre forme invisible. Ainsi, nous pourrons communiquer et je vous guiderai jusqu'à moi.

— Je crois que c'est réalisable. J'ai ta promesse que tu nous guideras vraiment ?

— Bien sûr ! Ai-je le choix ? Vous avez eu la prudence de ne pas me révéler la seconde partie de la prophétie. J'ai donc autant besoin de vous que vous avez besoin de moi.

— Tu es très lucide, Élyse.

— Oui, très ! C'est ma seule chance, dans ces mondes de fous où chacun espionne l'autre et où personne ne fait confiance à qui que ce soit.

— Tu as malheureusement raison. Pilote, retour à la base.

— Retour à la base, confirme Nochée.

— Vous vous exprimez toujours comme ça quand vous êtes en mission ?

— Seulement quand nous voyageons en bulle. Quand elle pilote, si tu lui parlais d'autre chose que de sa mission, elle ne t'entendrait même pas.

La bulle est déjà en train de se dissoudre et le paysage de Gaïa de se préciser. Nochée s'étire et émerge de sa concentration de pilote.

— Pourquoi ce retour, Noûs ? La mission n'est pas terminée.

— Elle est annulée, et nous allons en planifier une autre. As-tu remarqué des emplacements déserts sur Héronia ? J'entends des endroits où il n'y a personne.

— Oui, j'en ai vu.

— Il nous faut un endroit où nous ayons le temps de dissoudre la bulle pour libérer Élyse et la reformer pour pouvoir repartir avant d'être repérés par les Héroniens.

— C'est plus difficile, mais je crois que ça existe. Il faudra faire vite ; il y a quand même beaucoup de Héroniens sur Héronia…

— Mais pourquoi dissoudre la bulle ? Ne puis-je la quitter comme j'y ai pénétré la première fois ?

— Non. Ça ne marche que dans un sens, de l'extérieur vers l'intérieur.

— Je trouve qu'il y a pas mal de restrictions dans votre apparente perfection. Mais tant pis, on y va ?

— On y va.

Le temps d'annoncer en pensée le changement de programme aux autres sur Héronia, la bulle s'est reformée et Nochée explore à nouveau la sphère d'eau. Un quadrillage immense apparaît à travers la membrane de plasma.

— Objectif atteint, annonce Nochée.

La bulle commence à s'estomper. Les voyageurs se retrouvent sur un pavement de dalles turquoise parcouru d'un réseau de canaux se coupant à angle droit.

— Les marais de marbre, dit Noûs. Il y a rarement du monde par ici.

— J'en vois, pourtant, affirme Élyse.

Quatre têtes sont apparues, dépassant de l'un des canaux.

— Des gardes aquatiques ! frissonne Noûs. Ils devaient être dans une embarcation. Ils vont nous attaquer. Pilote ! Retour à la base !

Avant que la bulle de plasma ne se reforme, Élyse a le réflexe de faire un bond de côté pour s'y soustraire. Elle crie aux Spirites :

— Rendez-vous dans la salle du rapport !

Les gardes aquatiques se sont rués à l'assaut. Ils chargent en vociférant, armés de lances.

— Ils approchent trop vite, se dit Élyse. Et cette bulle qui n'en finit pas de se reformer !

— Essaie de les retenir, Élyse! crie Noûs. Nous n'allons pas y arriver. Le feu! Ils ont peur du feu.

Élyse réagit immédiatement. Des flammèches s'allument dans les vêtements de duvettissu des gardes.

Ils se replient en hâte.

La bulle est à présent reformée.

Elle va s'envoler.

Un des gardes, avant de fuir, a projeté son arme.

Élyse se jette à plat ventre pour l'éviter.

La lance la manque, mais percute la bulle qui aussitôt se volatilise.

— Où sont-ils? demande Noûs qui est retombé sur les dalles.

— Dans le canal le plus proche. Ils ont dû s'immerger dans l'eau pour éteindre leurs vêtements. Mais je pensais que les humains ne pouvaient rien contre une bulle de Spirites?

— Ceux-ci sont différents. Ce sont des gardiens. Va voir la lance qui est restée à terre après avoir détruit la bulle.

Élyse se penche et ramasse l'objet. Le manche est un curieux amalgame de fibres dont elle devine la nature. Un concentré rigide de duvettissu. La pointe, elle, est toute différente. Solidement fixé sur sa hampe, ce qui vient de percer la bulle est un bec de héron.

Les gardes aquatiques, entre-temps, sont ressortis de leur abri. Ils attaquent à nouveau.

— Ils sont mouillés, à présent. Je ne pourrai plus les allumer. Venez près de moi. Vite !

Un garde propulse son arme avec force et précision.

Au moment où le bec va transpercer sa cible, le trio disparaît de la vue des assaillants.

13

Dans la salle du rapport, trois nouvelles silhouettes se précisent : Élyse, Noûs et Nochée.

Jonathan se précipite dans les bras de son amie.

Ils voudraient se dire combien ils se sont manqués l'un à l'autre, combien ils s'aiment, combien ils ont craint de ne jamais se revoir… Mais la banalité des mots n'arrive pas à la hauteur de leurs émotions. Alors Jonathan se recule un peu, dégage le bras avec lequel il étreignait la taille de son amie, et lui tend le Bâton d'Ibis Ier.

Élyse ouvre la main, reçoit le sceptre d'Ambre, le serre contre son cœur.

Pas de souffrance.

Pas de brûlure.

— Merci, Jonathan.

Le jeune homme se tourne vers le sphérarque :

— Doutez-vous encore, Marabout, que le Bâton d'Ambre soit destiné à Élyse ?

— Non, je n'en doute plus. Pardonne mes réticences, Élyse, mais n'oublie pas que je suis le descendant d'une longue lignée de gardiens de la relique d'Ibis Ier.

Élyse éclate de rire :

— La relique, dites-vous ? Auriez-vous le culte des reliques ?

— Mais le Bâton a été tenu par Ibis Ier, Élyse. Il est sacré.

— Il n'est pas plus sacré que la semelle de ma chaussure ! Une relique n'a aucune valeur si elle n'est pas la clé d'un changement radical.

— Voilà une belle façon d'annoncer l'ouverture d'une ère nouvelle ! s'écrie Nochée qui semble beaucoup s'amuser.

— D'accord avec vous, enchaîne Ciconia en s'approchant de la visiteuse. Bien que cette chère Élyse ait oublié de nous présenter, je présume que vous êtes Nochée.

— Et vous Ciconia. Bonjour, vous éclairez mon cœur.

— Vous m'éclairez aussi, mais assez d'étiquette entre nous. Embrassons-nous plutôt pour souligner cet événement historique : la visite d'une Spirite dans la sphère d'Héronia.

Noûs, lui, s'approche de Marabout et le salue selon les règles. Le sphérarque répond poliment, mais avec une gêne évidente.

— Comment avez-vous pu arriver jusqu'ici sans votre bulle, Spirite ? Tous les gardiens d'Héronia ont dû vous donner la chasse.

— Quelques-uns, oui. Ils ont même détruit notre véhicule. C'est Élyse qui nous a sauvés en nous amenant ici.

— Voilà ce que je craignais. Sans l'isolation de votre bulle, le menssana des gardiens a pu vous suivre à la trace jusqu'ici. Ils doivent se préparer à intervenir. Ils ne vont pas tarder à se manifester. Repli immédiat dans mes appartements !

Le transfert s'établit en un instant et le sphérarque complète :

— Isolation personnelle du reste de la sphère d'Héronia pour toutes les personnes présentes ici.

À travers les murs d'eau de la pièce, on commence à distinguer des mouvements.

Les images sont floues, mais on devine que des gens, de plus en plus nombreux, se massent de l'autre côté. On remarque même qu'ils sont armés et esquissent des gestes menaçants.

Un homme se colle au mur d'eau. Marabout reconnaît le gardien dont la lance a perforé la bulle des Spirites. Il parle, l'air furieux, mais on n'entend pas ses paroles.

— Nautonier ! s'écrie le sphérarque en le reconnaissant. Un de mes meilleurs gardes.

— C'est lui qui nous a agressés, dit Élyse.

— C'était son devoir, plaide Marabout. Nautonier est un bon serviteur. Il se ferait désactiver pour moi.

— Il faut que tu lui parles, dit Ciconia.

— Impossible sans lever la barrière mentale qui nous protège !

Marabout s'approche tout près du mur aquatique, afin que Nautonier l'identifie, puis il lui fait des signes apaisants en s'efforçant de sourire.

De l'autre côté, la confusion s'installe. Nautonier recule, et son image devient une simple silhouette.

— Je crois qu'il discute avec les autres avant de prendre une décision.

— Marabout, halète Ciconia d'une voix déformée par l'angoisse. Si Nautonier arrive à rassembler les menssanas de tous ces gens, il arrivera à faire sauter la barrière. Il faut mettre nos amis en sûreté.

— Mais je ne puis les faire sortir d'ici.

— Fais revenir la chaloupe d'Horace, qu'ils puissent retourner sur Terre.

— Avec Élyse et le sceptre d'Ambre ?

— Oui, Marabout. Il faut qu'elle le conserve pour pouvoir un jour rétablir l'harmonie dans les sphères. Dépêche-toi, le mur commence à bouger.

Marabout hésite un instant.

Le mur d'eau est maintenant agité de violents remous.

— Vite, Marabout !

Il se décide enfin.

— La barque d'Horace !

La chaloupe apparaît immédiatement. Horace, Élyse et Jonathan y sautent, suivis de Noûs et Nochée.

— Et moi ? demande Marc.

— Tu restes. Ils t'identifieront comme l'un des nôtres.

— Je veux le ramener ! crie Élyse.

— Impossible ! Il a fait son transfert. Le renvoyer l'obligerait à mourir une seconde fois dès son retour sur Terre.

Marc lève la main pour un geste d'adieu qu'il n'a pas le temps d'achever.

Le mur éclate dans un fracas d'éclaboussures au moment où l'embarcation d'Horace se met en mouvement.

L'instant d'après, la chaloupe navigue paisiblement, son moteur ronronnant au ralenti, dans l'étroit chenal qui sépare le gros rocher gris de la Rivière-aux-Souches.

— Ouf ! soupire Horace, pas fâché de revoir mon bon vieux bout de rivière ! Ces aventures ne sont plus de mon âge, et les dorés ont dû s'ennuyer de moi.

Noûs et Nochée, assis sur le banc du milieu, se tiennent serrés l'un contre l'autre, figés de peur.

— Décoincez-vous, les amis, lance joyeusement Élyse. On est sur Terre, pas en enfer !

— Je sais, murmure Noûs, mais nous n'avons pas l'habitude de ce genre de déplacement.

— C'est quand même plus tranquille qu'un sac-poubelle que le premier bec venu peut réduire en miettes.

— C'est justement ces mêmes becs que nous craignons, avoue Nochée. N'oublie pas que tous les hérons qui ont quitté Héronia sont maintenant sur la Terre. Ils doivent nous guetter, c'est sûr. Nous devrions prendre notre forme immatérielle.

— Pas ici, chuchote Élyse. Nous passons devant chez moi. Mes parents nous ont sûrement aperçus. S'ils vous voient disparaître, ils vont se poser de sérieuses questions. Ils ont eu assez d'émotions ces derniers temps…

— Allô! fait la voix de Danielle depuis le balcon qui surplombe la rivière.

— Tiens! Quand je te disais… Salut maman, répond Élyse en agitant la main.

— Tu rentres pour souper?

— Il est déjà si tard?

— Quatre heures et demie. Personne n'a de montre, dans ce bateau?

— Excuse-moi, maman, je n'ai pas vu le temps passer. Je reviens bientôt.

— Sois prudente.

La chaloupe a maintenant dépassé la maison des Hautbuisson et se dirige vers celle d'Horace.

— Regardez! s'écrie ce dernier, nous parlions de hérons…

Sous le vieux saule, Héron Bleu, immobile, guette sa proie, les pieds dans l'eau.

— Je vais le sonder pour connaître ses intentions.

Héron Bleu les regarde venir de ses petits yeux jaunes.

Il fléchit les pattes pour sauter en ouvrant les ailes, comme n'importe quel oiseau qu'on approche d'un peu trop près.

Il s'envole avec un cri grinçant et file vers le Rapide-à-Lampron, prend de la hauteur, et disparaît par-dessus le rideau d'arbres qui borde la rivière.

— C'est curieux, remarque Élyse. D'habitude, il s'envole toujours vers le marécage.

— Ce qui est encore plus curieux, c'est que je viens de sonder son menssana.

— Et alors?

— Héron Bleu n'a plus de menssana. Cet oiseau-là n'est qu'un héron et rien d'autre.

— Vous voulez dire qu'il s'est isolé mentalement?

— Pas du tout. S'il avait élevé une barrière mentale, je m'y serais heurté. Il n'y avait pas de barrière parce qu'il n'y avait pas de menssana.

— Restons prudents, conseille Nochée, pas très rassurée.

— Venez chez moi, propose Horace. Ma maison jouit de protections à l'épreuve de tous les hérons de l'Univers. J'irai ensuite reconduire Élyse.

○

Tancrède Bérubé se sent investi d'une force qu'il croit encore divine. Il est vif et lucide. Il devine à présent des choses avant qu'elles n'arrivent. Il comprend les intentions des gens avant qu'ils ne les aient manifestées.

Il ne sait pas encore comment s'appelle ce pouvoir étrange qui est en lui.

Il ne sait pas encore qu'il possède maintenant un menssana.

Un menssana que lui ont donné des milliers de hérons qui ne savaient plus qu'en faire et ne voulaient plus s'encombrer de ce bagage mental détestablement humain.

Les oiseaux ont été attirés vers Tancrède par la haine commune qui les animait envers cette jeune fille rousse qui est venue bouleverser l'ordre établi depuis des millénaires. Ils se sont débarrassés de cette haine et l'ont transmise à Tancrède qui saura bien s'en servir à bon escient.

Que les humains règlent maintenant leurs différends entre humains. Les hérons n'ont que trop subi la servitude. Purgés de leur haine, ils peuvent enfin retourner à leur vie d'oiseaux.

Le héron bleu a vu la jeune Terrienne revenir d'Héronia. Son instinct obscur lui a dicté sa conduite.

D'abord s'envoler.

Mais pour aller où?

Au seul endroit qu'il connaisse en dehors de son territoire aquatique. Le nid du grand homme qui est l'ennemi de la fille rousse.

Pourquoi faire? Qu'importe, puisque son instinct d'oiseau lui dicte d'y aller?

Il se pose sur le gazon, devant la porte.

Tancrède sursaute. Il sait qu'il se passe quelque chose qui le pousse à aller dehors. Il ouvre.

Le grand héron bleu est là, qui le dévisage.

Tancrède avance d'un pas, l'oiseau recule.

— Qu'est-ce que tu es venu m'annoncer, héron?

La voix mielleuse, insipide, désagréablement humaine, fait frémir Héron Bleu. Cette voix lui rappelle vaguement celle d'un humain aux cheveux bleus qu'il a dû haïr dans le passé.

Il y répond par un cri strident. Un bon cri rauque qui vient du fond de la gorge, avec un savoureux mélange d'aigus et de graves.

Quelque chose lui signale que c'est assez.

Assez d'humains dans sa vie d'oiseau.

Il s'envole et s'oriente.

Il cherche déjà sa rivière.

— C'est un message, exulte Tancrède à haute voix. L'ange est venu me prévenir. Il y a du nouveau.

Mais comment doit-il interpréter le message?

Il rentre, s'assoit, réfléchit.

Où a-t-il déjà vu ce grand héron bleu? L'animal lui rappelle quelque chose.

— Voyons, où se tient un héron, d'habitude? Au bord de l'eau. Voilà! La rivière. Cette rivière au bord de laquelle j'ai subi de cruelles humiliations. Il était là, je m'en souviens maintenant. Il était en face de la maison de la possédée. Il était déjà là pour me guider dans ma mission, mais je ne l'ai pas compris. Le héron est venu me prévenir : la possédée est revenue chez elle. Elle doit être avec ce Jonathan Saint-Chartier. Ces deux-là croient s'aimer. Ils croient que cet amour les protège et les rend forts. Mais à cet âge-là, on ne s'aime pas longtemps. Cette impie sera bientôt à ma merci. Puisse-t-elle devenir vieille et laide, pour qu'il cesse de l'aimer !

○

La chaloupe accoste.

Horace introduit chez lui Noûs et Nochée qu'il laisse en compagnie de Jonathan.

— Vous n'aimeriez pas mieux que j'aille moi-même reconduire Élyse ?

— Non, Jonathan, je préfère m'en charger. Ainsi je pourrai dire bonsoir à Jacques et Danielle.

Sitôt seule avec Horace au milieu de la rivière, Élyse l'apostrophe :

— Vous, mon ami, vous vouliez être seul avec moi pour me confier une cachotterie !

— Oui, Élyse. Toujours aussi perspicace ! Je voulais te recommander de ne rien dire à tes parents de ce que nous avons vécu aujourd'hui.

— Vous savez que les petits secrets, ce n'est pas mon genre. Surtout avec mes parents.

— Je sais, mais c'est eux que je veux avant tout protéger. Je ne pense pas qu'ils soient prêts à apprendre d'un coup qu'il existe des mondes parallèles, où tu as revu ton frère et où tu as été plusieurs fois en danger. Ils risquent de devenir fous en entendant ton récit. À supposer, bien sûr, qu'ils te croient…

— Je vais me fier à votre jugement, une fois de plus, mais demain nous déciderons d'une manière moins abrupte de leur raconter notre aventure.

Horace laisse Élyse au bord de l'eau après lui avoir promis de lui renvoyer Jonathan le plus vite possible.

De retour chez lui, Horace retrouve Noûs et Nochée qui, un peu rassurés, acceptent de passer la nuit sous son toit.

Demain, il va falloir se réunir à nouveau pour dévoiler à Élyse la seconde partie de la prophétie et arrêter un plan pour la réaliser. Les deux Spirites projettent aussi d'aller faire un tour incognito sur Héronia pour voir où en sont les choses dans la sphère d'eau.

Marabout et Ciconia sont-ils vraiment en sécurité?

Comment ont-ils justifié auprès de leurs sujets leur évidente complicité avec les Spirites?

Marc n'est-il pas en danger?

C'est en remuant ces mêmes questions inquiétantes que Jonathan retraverse la rivière.

Il amarre la chaloupe et gravit l'escalier extérieur, pressé de revoir son amie.

Dans la cuisine, trois personnes consternées le regardent entrer sans dire un mot.

Jacques a la mine sinistre.

Danielle, éplorée, tient la main d'une vieille dame qui lui ressemble étrangement.

Le deuil se poursuit, se dit Jonathan. La mère de Danielle, sans doute, d'après l'air de famille.

Le jeune homme s'avance, salue la dame âgée. On devine qu'elle a été rousse, avant de grisonner. Ses épaules voûtées ne cachent pas encore tout à fait qu'elle a été svelte, comme sa fille et sa petite-fille.

Mais où est Élyse?

— Bonsoir, madame. Je suppose que vous êtes la grand-mère d'Élyse. Elle vous ressemble beaucoup.

— Non, Jo, je ne suis pas la grand-mère d'Élyse, répond la dame, le regard ailleurs.

Cette voix! La même qu'Élyse. Et pourquoi l'appelle-t-elle «Jo»? Seule Élyse emploie ce diminutif...

Les yeux du jeune homme s'ouvrent tout grands.

— Non, ce n'est pas possible! Vous n'êtes pas... Tu n'es pas...

— Tu as deviné, Jo...

Tancrède Bérubé ignore encore que son menssana lui permet aussi, à présent, de jeter des sorts...

14

Jonathan s'effondre. Une chaise le recueille. Il s'appuie des deux coudes à la table.

— Nous avons éprouvé le même choc, lui dit Jacques. Danielle préparait le souper et je rangeais ma tondeuse. Nous avons entendu Élyse crier. Quand je suis monté, Danielle était près d'elle, essayant de comprendre. Élyse avait vieilli de cinquante ans.

— Mais c'est impossible!

— Je le croyais aussi, admet Élyse. Mais avec ce que nous avons vécu ces derniers jours, je ne crois plus que l'impossible existe.

— De quoi parles-tu? s'inquiète Danielle. Tu me caches quelque chose.

— Oui, maman, je te cache quelque chose. Je ne peux pas t'en parler encore, car mon secret implique plusieurs personnes. Et j'ai promis à Horace de ne rien dévoiler.

— Encore Horace ? Cette fois, j'en ai assez, d'Horace ! Tu pars avec lui sur la rivière, tu reviens en fin de journée, serrant dans ta main ce bâton de verre que tu n'as pas encore lâché, et dix minutes plus tard, tu as l'âge d'être ma mère !

Danielle, défigurée par sa révolte, se lève d'un bond.

— Puisque sa chaloupe est de notre côté, je vais aller lui parler, moi, à Horace !

— NON !

Élyse et Jonathan ont poussé le même cri, se sont levés en même temps, ont eu le même geste pour couper le chemin à Danielle.

— Maman, non ! Ne fais pas ça, je t'en supplie ! Tu aggraverais la situation.

Danielle accepte de se rasseoir. Une froide colère s'est emparée d'elle.

— Tu reconnais toi-même que tu t'es mise dans une situation grave. Et je sais très bien que ta soudaine vieillesse n'est qu'un aspect de cette situation. Maintenant, j'attends une explication.

— D'accord, soupire Élyse, je vais t'en donner une partie tout de suite, puis je communiquerai avec Horace afin d'avoir son autorisation pour la suite.

— Tu es ma fille, intervient Jacques, et tu n'as pas besoin de la permission d'Horace. Dis ce que tu as à dire.

— Pour commencer, ce *Bâton de verre* n'est pas en verre. C'est de l'Ambre. Ce Bâton est si important qu'il va peut-être modifier le sort de l'humanité entière. Oui, je sais, vous êtes sceptiques. Je le serais aussi, à votre place. Sachez seulement que Jo a risqué sa vie pour me le procurer.

— En quoi est-il si précieux ? demande Danielle, plutôt dubitative.

— Je crois qu'il est une sorte de sauf-conduit qui me permettra d'accomplir une mission très importante. Nous allions en savoir plus lorsque nous avons dû revenir. Il s'agit de réaliser une prophétie et de rétablir une harmonie.

— Si c'est cette mission qui t'a fait vieillir à ce point, arrête-la tout de suite !

— Ça, maman, c'est un accident. Je ne l'explique pas encore. Mais je pense qu'Horace pourra nous éclairer.

— Tu veux que je te dise, Élyse ? Appelle-le tout de suite, Horace, et qu'on en finisse.

— Ce sera peut-être préférable. Il en sait plus que moi.

Danielle a déjà la main tendue vers l'appareil téléphonique.

— Non, pas comme ça, maman. Je n'ai plus besoin du téléphone pour contacter Horace. Laisse-moi faire.

Élyse ferme les yeux. Les autres respectent son silence. Après quelques instants, elle reprend la parole.

— Voilà. Horace nous attend après le souper. J'ai faim, maman. Mangeons et parlons d'autre chose d'ici là.

— Élyse, insiste Danielle, tu fais de la télépathie, à présent ?

— Tu as bien remarqué que j'avais certains pouvoirs, ces derniers temps. Quand j'allumais le chapeau du curé et que je remuais l'eau et le vent.

— J'ai cru que tu avais un truc. Bien qu'avec l'eau et le vent…

— C'est ce que disent toujours ceux qui refusent de croire à la magie. Me croiras-tu quand tu verras qu'Horace nous attend réellement ?

— Oui, j'imagine.

— Mangeons, maintenant.

Tancrède Bérubé a eu un éblouissement. Ou plutôt une sorte de vision.

Dans un éclair, il a eu, dans sa tête, la vision très claire de son ennemie accablée de vieillesse.

C'était comme un rêve d'une criante réalité. Il a VU Élyse vieille.

Il se souvient alors qu'il a souhaité qu'elle le devienne. Son désir est-il devenu réalité ? Jette-t-il lui aussi des sorts ? Aussitôt tout son être s'insurge contre cette idée hautement hérétique.

— Non ! Une fois pour toutes, ça n'existe pas, les sorts. Ce ne sont que des trucs.

Mais cette certitude, qui le réconfortait encore il y a quelques heures, n'a plus la même force en lui.

— Et si c'était vrai, pourtant ? Il se passe tellement de choses bizarres, depuis quelque temps. Les chapeaux qui brûlent, et puis les hérons... Sans parler de tout ce qui est arrivé autour de la noyade de Marc Hautbuisson. Non, les sorts n'existent pas, mais les miracles, oui. Voilà la vérité. J'ai reçu le pouvoir de faire des miracles pour mener à bien ma mission !

Pourtant Tancrède hésite encore. Élyse est-elle vraiment devenue vieille ? N'est-ce pas une vision inspirée par les puissances du Mal pour l'égarer ?

— Il faut aller vérifier, se dit-il. Je dois en avoir le cœur net.

○

Jonathan, une fois de plus, mène la barque d'une rive à l'autre. Sitôt arrivée, Élyse introduit ses parents dans la maison de son ami, qu'elle n'appellera plus jamais « le vieux ». Nochée, très émue de son vieillissement subit, la serre dans ses bras.

— Ainsi c'était donc vrai ! Je me refusais à y croire.

— Merci, Nochée. Votre affection me réconforte. Je regrette de m'être méfiée de vous.

— Tu as eu raison de le faire, Élyse, ta prudence est une belle qualité.

— Je vous présente mes parents, Jacques et Danielle.

On se salue sans joie.

L'atmosphère est lourde des secrets qui vont être échangés.

Horace installe ses hôtes et se recueille, ne sachant comment amener son récit.

— Commencez par notre départ de chez moi, tout à l'heure, lui conseille Élyse. Et si vous en oubliez, je compléterai.

— Je compte surtout sur toi pour m'aider…

— Ah ! Je vois. Vous voulez que je confirme ce que mes parents pourraient trouver invraisemblable.

— Merci, Élyse. Tu lis dans mes pensées.

— Vous savez, Horace, maintenant qu'on a le même âge, on a tout pour se comprendre !

Cette pauvre plaisanterie détend un peu l'atmosphère.

Horace entame son récit.

Cela dure longtemps. À l'occasion, il laisse Élyse prendre le relais. C'est elle, entre autres, qui décrit son passage sur Gaïa.

Jonathan, Noûs et Nochée se contentent d'approuver parfois en hochant la tête.

Danielle verse une larme quand on lui conte qu'Élyse a revu Marc.

Jacques foudroie Noûs et Nochée du regard en apprenant qu'ils ont enlevé sa fille contre son gré.

— Laisse, papa, ils étaient de bonne foi et ne me voulaient aucun mal.

Le récit s'éternise. On semble hésiter à en arriver au dernier rebondissement : la vieillesse d'Élyse. Danielle intervient :

— Tout ça ne nous explique pas l'apparence d'Élyse. Elle était jeune quand elle est revenue de votre périple.

— La transformation de votre fille n'a rien à voir avec son passage dans les sphères parallèles. Je n'ai pas eu le temps d'approfondir la question, mais je suis persuadé que le problème d'Élyse est d'origine strictement terrestre. Il n'existe pas, à ma connaissance, de sorts à retardement. Mais Noûs et Nochée ont peut-être une autre idée. Les Spirites sont les spécialistes des apparences.

— Les Spirites ? s'étonne Danielle.

— Oui, explique Noûs. Sur Terre, ceux qu'on appelle « spirites » sont des humains qui invoquent les esprits. Nous avons repris le terme. Les Héroniens nous appellent *anars* – anarchistes – parce que nous n'appartenons à aucune sphère.

— Mais faites-vous apparaître des esprits?

— En quelque sorte, oui, puisque nous sommes des esprits nous-mêmes et que nous pouvons nous montrer à vous. Lorsque nous le faisons, nous puisons dans les valeurs esthétiques de vos menssanas pour prendre l'aspect qui vous sera le plus agréable.

— Ça ne colle pas, s'insurge Élyse. Je ne suis pas une Spirite et mon aspect n'a rien d'agréable.

— Tu te trompes, s'oppose Danielle. Même à présent, tu as la beauté de ton âge, et je ne t'ai jamais trouvée laide.

— Moi non plus, ajoute Jonathan. Je t'aime, et je tiendrai les promesses que je t'ai faites. Ce sera plus difficile, mais nous y arriverons.

— Merci, mais on s'égare. Il reste que je parais cinquante ans de plus que mon âge. D'où provient ce phénomène?

— De la malveillance de quelqu'un qui veut te nuire, sans aucun doute, suggère Horace.

— Quelqu'un d'ici? Un Zibounou? Mais les Zibounous n'ont pas ce genre de pouvoirs.

— Tu sais comme moi, Élyse, qu'il n'y a pas que des Zibounous sur la Terre. Il y a des frontaliers, comme toi, Jonathan et ta famille.

— Vous voulez dire que quelqu'un m'aurait jeté un sort ? Mais qui aurait pu faire une chose pareille ?

— Réfléchis bien.

— Je ne vois pas. Et puis, les sorts, je n'y crois pas beaucoup.

— Tu me fais penser à quelqu'un, en disant ça.

La remarque d'Horace rend Élyse muette d'étonnement. Des rouages se mettent à tourner dans sa tête. Le déclic s'opère.

— Êtes-vous en train de me parler du curé ? Mais Bérubé n'a pas ce pouvoir. C'est juste un vieux grincheux inadapté. Tous les jeunes l'envoient promener.

— Oui, Élyse, mais moi, je connais une jeune qui l'a dernièrement envoyé promener plus fort que les autres.

Jacques et Danielle ont sursauté.

— Bérubé est venu ce matin ! s'écrie Jacques.

— Il pense que tu es possédée par le Diable et veut t'exorciser, ajoute Danielle.

— Nous y voilà, conclut Horace.

— Moi, possédée ? Mais c'est complètement idiot ! Tancrède nous a assez répété qu'il ne croit pas à la sorcellerie.

— Attention, Élyse, l'exorcisme n'est pas de la sorcellerie, mais simplement de la psychologie appliquée. Tancrède appelle sûrement cela de l'intervention divine, mais cela revient au même.

— Il reste que jamais il n'aurait eu l'idée de me jeter un sort.

— Sauf si quelqu'un lui a mis l'idée dans la tête.

— Je ne vois pas qui aurait pu faire changer d'avis à cette tête de cochon !

— Pourquoi pas toi, Élyse ?

— Mais je n'ai jamais fait une chose pareille !

— Ce matin, raconte Danielle, il a affirmé que tu lui avais jeté un sort et il nous en a donné la preuve. Chaque fois qu'il met un quelconque chapeau sur sa tête, le chapeau prend feu.

— Je l'ignorais. J'ai volontairement brûlé son chapeau quand il était devant moi, mais je n'ai jamais voulu que ça devienne permanent.

— Réfléchis bien, Élyse.

— Voyons, Horace, je ne suis pas folle ! Je sais encore ce que j'ai fait hier soir.

— Moi aussi. Tu lui as conseillé de partir avant que tu lui jettes un sort.

— C'était pour lui faire peur. Je ne sais pas jeter de sorts.

— Il faut croire que si. Depuis la mort de ton frère, ton menssana a pris beaucoup de force. Tu maîtrises les quatre éléments ; à côté de cela, faire un peu de magie est un jeu d'enfant. Crois-moi, petite, je sais de quoi je parle. Moi aussi je suis magicien.

— Mais alors, vous pouvez me redonner mon apparence.

— Non, Élyse. Le seul qui puisse te redonner ta jeunesse…

— C'est Tancrède, n'est-ce pas ?

— Tu as tout compris.

— Mais comment a-t-il pu ? Tancrède n'est qu'un Zibounou, que je sache.

— Je pense que je devine ce qui s'est passé. Rappelle-toi, Élyse, tout à l'heure, j'ai voulu sonder le menssana de Héron Bleu. Mais l'oiseau n'avait plus de menssana. Un menssana ne disparaît pas comme ça. Par contre, il peut se transférer. Je crois qu'en abandonnant Héronia, Héron Bleu a

226

fait d'une pierre deux coups. Il s'est débar-
rassé de tout lien avec les humains et s'est
vengé en transférant son menssana chargé
de haine dans une personne qui vivait la
même haine que lui : Tancrède Bérubé.

— Très bien. Je sais ce qu'il me reste à
faire.

— Attention, Élyse. Ne va pas te jeter
dans la gueule du loup.

— Qu'est-ce que je risque ? De me
retrouver encore plus vieille ? Au point où
j'en suis… Non, Horace, vous ne m'empê-
cherez pas de l'affronter. La guerre est
déclarée ; c'est maintenant un combat à
finir entre lui et moi.

— Il va être fou de joie.

— Que voulez-vous dire ?

— Tancrède t'a tendu un piège. Il
n'attend qu'une chose : que tu ailles
t'empêtrer dedans.

— Je suis assez forte pour…

— Non, tu n'es plus assez forte. Tu ne
feras qu'opposer ta haine à la sienne, et la
sienne est amplifiée de celle de Héron Bleu.

— Des hérons, dit Jacques, on en a vu
passer des milliers juste avant votre retour.

— Alors c'est encore plus grave que je
ne pensais. Ces oiseaux sont ceux qui ont

déserté Héronia à la suite de Héron bleu. Et tout leur pouvoir est maintenant à la disposition de Tancrède Bérubé. Ton ennemi, petite, est sans doute devenu l'homme le plus puissant de la Terre. Ne fais rien avant de connaître ses intentions.

— Mais nous les connaissons, ses intentions, déclare Danielle. Il veut exorciser Élyse.

Horace se lève et enveloppe ses hôtes d'un coup d'œil appuyé.

— Très bien, mes amis, nous avons mis au clair les données du problème. Maintenant, vous allez me laisser travailler. Jacques, Danielle, Élyse et Jonathan, vous allez rentrer vous coucher. Pendant ce temps, avec l'aide des Spirites, je vais essayer de sonder Tancrède. Ensuite nous évaluerons la situation et chercherons des solutions.

— Mais moi aussi, je peux vous aider.

— Non, tu es trop affaiblie. Tu ne ferais que me gêner. Je dois absolument être seul ce soir avec Noûs et Nochée. Je veux que tu rentres te reposer sans rien tenter. Tu me le promets ?

— Promis, capitule Élyse avec un soupir désabusé. Mais s'il m'attaque ?

— Il ne le fera pas. Il t'a déjà frappée aujourd'hui, et maintenant il attend ta réaction. De toute manière, nous resterons en contact et veillerons sur toi.

15

La nuit s'installe.

Chez les Hautbuisson, une triste nuit d'insomnie.

D'abord, on discute des événements du jour. Discussion qui ne mène à rien, puisque tout repose, en ce moment, sur les épaules d'Horace.

On décide d'aller se coucher et Jonathan se prépare à prendre congé.

— Je préfère que tu restes, demande Élyse. Je ne pourrais pas supporter d'être seule cette nuit.

— Si tes parents sont d'accord…

Danielle lui fait un signe de tête. Oui, il peut rester.

Jacques et Danielle se retirent. Une partie de leur nuit se passe à ressasser inutilement les événements de la journée. Quand ils arrivent à court de mots pour répéter encore une fois leur angoisse, ils essaient de lire. Des lignes vides de sens se mettent à défiler devant leurs yeux. À force de reprendre sans cesse le même paragraphe dans le but illusoire d'en comprendre le contenu, leurs paupières finissent par se fermer sur un sommeil fiévreux, le livre ouvert sur la poitrine, sans même penser à éteindre la lumière.

Dans la chambre d'Élyse règne la même amertume.

Élyse a enfilé sa plus chaste chemise de nuit et Jonathan s'est contenté d'enlever ses chaussures.

— Notre première nuit, Jo. Je ne pensais vraiment pas qu'elle se passerait comme ça. Avant de vieillir, j'avais l'intention de te demander de rester avec moi et de partager mon lit ce soir. Nous aurions pu nous aimer toute la nuit.

— Nous pourrions quand même...

— Non, Jo, ne dis pas ça! Je ne veux pas. Je serais tellement humiliée que je ne pourrais plus jamais te regarder en face. Quand je t'abandonnerai mon corps, ce sera mon vrai corps, celui de mes seize ans, pas cette vieille dépouille fripée.

— Tu ne m'inspires aucun dégoût.

— Je sais, mais moi je me dégoûte. J'aurais l'impression de te salir. Je ne t'aimerais plus comme avant.

— Préfères-tu que j'aille dormir sur le sofa du salon ?

— Non, reste près de moi. Ce n'est pas le moment de nous éloigner l'un de l'autre.

Jonathan écarte un bras. Élyse vient poser la tête sur son épaule. Le bras se referme autour d'elle.

— Restons comme ça, Jo. Ne m'embrasse pas. Ne bouge pas. Essayons de dormir. Nous ne pouvons pas mieux nous aimer ce soir.

— Tu as raison. Cette nuit sera quand même une nuit d'amour. Tu guériras, Élyse. Horace fera quelque chose. Et s'il n'y arrive pas, je me battrai pour toi. Je retournerai sur Héronia, j'irai chercher des forces et des appuis. J'irai reprendre possession de ta jeunesse, comme je suis allé te conquérir le Bâton d'Ambre.

— Quand je serai jeune à nouveau…

— Je te ferai l'amour comme un fou. Autant de fois que tu le voudras. Notre amour deviendra plus fort que tout.

— C'est cela qu'il nous faut protéger. Notre amour. C'est lui qui nous donne notre force et nos pouvoirs. Si je reste vieille trop longtemps, notre union impossible faiblira, et nous avec elle. Nous ne pourrons plus nous battre.

— Mon amour ne faiblira pas.

— La nature veut qu'un corps jeune recherche un autre corps jeune, Jo.

— Il n'y a pas que nos corps, Élyse.

— Non, je sais. Mais ils font partie de notre amour.

— De toute manière, nous vaincrons.

— Oui, mais il faut le faire vite, avant qu'il ne soit trop tard.

○

Chez Horace aussi, la nuit est agitée.

Mais pas question d'aller se coucher.

L'atmosphère est au branle-bas de combat.

Horace fait le point.

— L'apparence d'Élyse m'inquiète peu en soi, puisqu'un sort peut toujours être dénoué. Ce qui est grave, c'est si leur amour commence à diminuer. Or, c'est cet amour qui leur donne leur force, à elle et à Jonathan. Je l'ai bien vu lorsqu'il est allé chercher le Bâton d'Ambre. Si le découragement d'Élyse continue à l'affaiblir, elle ne pourra plus jouer son rôle dans la réalisation de la prophétie.

— Tout à l'heure, elle n'a même pas cherché à en connaître la seconde partie, constate Noûs.

— C'est bien ce que je dis. Sa déchéance physique a pris le dessus. Au fait, de quoi parle cette autre partie?

— Nous ne pouvons te le révéler. Nous avons pour mission de ne le dévoiler qu'à Élyse.

— Je n'insiste pas, mais nous tournons en rond. Dites-moi au moins s'il y a urgence.

— Oui, mais pas au point de faire passer la prophétie avant tout le reste. L'univers des sphères va peu à peu sombrer dans le chaos et entraînera la Terre dans son naufrage. Seule Élyse pourra nous sauver.

— J'aimerais quand même en savoir un peu plus.

— Ibis Ier a confié le Bâton d'Ambre et la première partie de la prophétie aux Héroniens, la seconde aux Spirites. Pour qu'elle se réalise, il faut encore que les

Spirites et les Héroniens travaillent main dans la main, ce qui est loin d'être le cas, même si nos principaux ennemis, les hérons, sont éliminés de la sphère d'eau. Quoi qu'il en soit, la prophétie attend depuis des millénaires que tous ces éléments soient réunis ; elle attendra bien encore un peu.

— Il nous faut encore classer le reste par ordre de priorité. On peut résumer la situation en deux éléments. D'une part l'obstacle que constitue Tancrède. D'autre part le déséquilibre que nous avons laissé sur Héronia.

— Nous pouvons, Nochée et moi, aller sonder Héronia. Nous le ferons sous notre forme immatérielle, sans bulle. Ainsi nous pourrons observer sans courir de risque.

— Peuvent-ils détecter votre présence ?

— Non. Personne ne peut repérer un Spirite, à part un autre Spirite.

— Excellent atout dans notre jeu.

— Oui, mais nous ne pouvons intervenir d'aucune manière sous notre forme invisible. Nous pouvons seulement nous renseigner.

— C'est déjà énorme. Mais avant d'en arriver là, je pense que le plus pressant est de sauver Élyse. Son vieillissement l'a déjà beaucoup diminuée. Si nous n'intervenons pas au plus vite, nous allons la perdre.

— Que proposez-vous ?

— De neutraliser Tancrède.

— N'avez-vous pas dit qu'il était l'homme le plus puissant de la Terre ?

— De la Terre, oui. Mais je ne suis pas un homme de la Terre. Ma position de maître de bief héronien me confère de grands pouvoirs. Tancrède sera-t-il plus puissant qu'un maître de bief et deux Spirites ?

— Vous voulez donc que nous l'attaquions à trois ?

— Oui, parce que nous le ferons sans haine, donc sans entraves, ce dont Élyse serait incapable dans son état.

— Les Spirites ne connaissent pas la haine.

— Je sais. Et moi je ne hais pas Tancrède. Je ne le considère pas comme un ennemi, mais comme une victime de son orgueil et de ses préjugés. En le combattant à trois et sans haine, nous devrions avoir la force de le neutraliser.

— Avez-vous un plan précis ?

— Oui. Nous allons l'aborder sur le terrain de ses propres valeurs.

○

Sur Héronia, on commence à se remettre de la confusion qu'a déclenchée l'intervention des gardes aquatiques.

Nautonier, garde de premier niveau, jouit d'une force considérable, mais il a fallu qu'il appelle à lui celle de tous les autres gardiens présents pour défoncer le mur d'eau qui cernait les appartements de Marabout XVIII. Malheureusement, il a manqué les intrus de peu et, penaud, constate les dégâts.

Tous les lieux d'échanges humains, sur Héronia, sont circonscrits par des murs d'eau. Les appartements du sphérarque sont maintenant submergés. Les Héroniens peuvent évidemment vivre sous l'eau, mais ils ont gardé de leurs origines humaines l'impossibilité d'y communiquer.

Marabout, ballotté par les flots qui cherchent leur équilibre dans le vide qu'ils viennent de combler, ne s'énerve pas. Les inondations, dans une sphère d'eau, sont une réalité quotidienne.

— Tout le monde en salle du rapport, ordonne-t-il mentalement.

Et il s'y retrouve, en compagnie de Ciconia, de Marc Hautbuisson et d'une bonne trentaine de gardes, bien au sec.

— Je te trouve bien turbulent, Nautonier, reproche-t-il sans être vraiment fâché contre ce bon serviteur qui n'a fait que son devoir.

— Vous éclairez mon cœur, grand Marabout.

— Oui, tu m'éclaires aussi, Nautonier, mais où allons-nous loger en attendant que les architectes maritimes reconstruisent nos appartements ?

— Je vous demande pardon, maître. Je vous laisserai mon logis de fonction et je coucherai dans ma barque, sur le marais de marbre.

— C'est très gentil de ta part, mais pourquoi as-tu tout dévasté chez moi, au lieu de demander audience et de passer par la porte mentale ?

— J'ai voulu vous sauver, Marabout. Vous étiez attaqué par les anars.

— Ils ne me voulaient aucun mal. Ils étaient là sur mon invitation.

— Vous, inviter des anars ?

— Pas des anars, Nautonier. Des Spirites. Il n'y a plus d'anars.

— Mais je les ai vus, Marabout. Ils sont descendus dans une bulle. Ils ont tenté de fuir après avoir débarqué une fille avec des cheveux d'une drôle de couleur.

Le sphérarque, voyant qu'il n'échappera pas à une longue explication, gravit les marches et prend place sur son trône, suivi de Ciconia.

La conversation va prendre un tour plus solennel et les gardes, impressionnés, se figent avec respect.

— Nautonier, connais-tu la prophétie d'Ibis Ier?

— Oui, Marabout, comme tout le monde.

— Récite-la-moi, je te prie.

— Une jeune fille couronnée de flammes viendra...

— Je t'arrête. Connais-tu la couleur des flammes?

— J'en ai vu il n'y a pas longtemps, quand l'intruse nous a lancé du feu.

— Tu as donc pu constater que la couleur des flammes est exactement celle des cheveux de la fille que tu as vue sortir d'une bulle.

— Voulez-vous dire que...

— Oui, Nautonier, c'était la jeune fille de la prophétie.

— Bec et plumes! sacre le garde. J'ai failli la transpercer de mon lance-bec!

— Garde, surveille ton langage! proteste Ciconia.

— Je vous demande pardon. La honte me fait déparler.

— Tu n'as rien à te reprocher. Mais la prochaine fois, attends que nous t'appelions à l'aide avant de saccager nos appartements.

— J'y veillerai, mais pourquoi la jeune fille était-elle prisonnière des anars... je veux dire des Spirites?

— Elle n'était pas leur prisonnière. Les Spirites étaient chargés de me l'amener.

— Des ennemis!

— Non, Nautonier, non! Les Spirites ne sont plus nos ennemis. Ils sont nos alliés. Ils détiennent la seconde partie de la prophétie et collaboreront avec nous pour la réaliser.

— Il va falloir prévenir tous les gardes.

— Je ferai une communication générale en ce sens.

— Grand Marabout, où est la jeune fille, que je lui présente mes excuses et lui dise qu'elle éclaire mon cœur?

— Le problème est là, mon ami. La jeune fille est partie. Heureusement pour elle, car elle n'aurait pu survivre sous l'eau quand tu as défoncé mes murs. Elle s'est réfugiée sur Terre grâce à l'aide de l'un de mes maîtres de biefs. Depuis, je suis sans nouvelles.

— Il suffirait d'envoyer un agent de liaison.

— Ce serait trop facile. Mais les agents de liaison sont tous des hérons. Or, il n'y a plus de hérons sur Héronia.

— Je comprends, maintenant. Quand j'ai vu la bulle, j'ai appelé les hérons à la rescousse, mais pas un ne s'est présenté.

— C'est bien ce que je te dis, Nautonier. Il n'y a plus de hérons. Plus d'agents de liaison. Plus de contacts avec la Terre. Il faut attendre qu'ils se manifestent à nouveau.

○

D'abord, évaluer l'adversaire.

Horace envoie son menssana sonder celui de Tancrède.

La tâche s'avère d'emblée plus ardue que prévu. Tancrède n'est pas un inter-locuteur facile d'accès, comme le serait n'importe quel Héronien, pour la bonne raison qu'il n'est pas un Héronien, mais seulement un Zibounou affublé d'un menssana dont il n'a pas appris à se servir.

Comme un Héronien, il ressent la communication qu'Horace tente d'établir. Mais, novice en ce genre d'exercice, il n'arrive pas à en identifier l'auteur.

Une bonne chose, se dit Horace.

Tancrède, de nature belliqueuse et méfiante, perçoit l'appel comme une agression. D'instinct, il ne cherche pas le dialogue mais l'affrontement. Horace ne s'identifie pas et rompt la communication mentale.

— Ça n'a pas été long, mais instructif, informe-t-il ses compagnons.

— Lui avez-vous parlé?

— Non, impossible. Le bonhomme est prêt à dicter ses conditions, pas à dialoguer. Encore moins à négocier. Par contre il est facile à sonder. Il se croit chargé d'une mission divine et s'en trouve submergé d'orgueil. Il prend les hérons pour des anges. Il pense être l'homme le plus important sur Terre. Il y a beaucoup de haine en lui, mais son orgueil est nettement plus grand que sa haine. Il ne veut pas détruire Élyse, mais la sauver malgré elle.

— Cela sert bien nos plans, commente Noûs. Nous ne pouvons rien contre la haine, mais nous allons pouvoir l'aborder sur le terrain de l'orgueil.

— C'est faisable, évalue Nochée. En détruisant son orgueil, nous pourrons l'affaiblir suffisamment pour le mettre hors d'état de nuire.

— Il nous reste à décider comment nous allons procéder. Soyons prudents ; la vie d'Élyse est entre nos mains.

— C'est pourquoi, conclut Horace, nous devons exclure Élyse du combat que nous allons livrer. Avez-vous le pouvoir de modifier mon apparence ?

— Oui, bien sûr. Mais pourquoi vous déguiser ?

— Parce que si Tancrède me voit, il m'associera à Élyse et sa haine prendra le dessus.

○

Réveillé dans son premier sommeil, Tancrède cherche à se rendormir, n'y arrive pas, se lève.

Qu'était cette présence insolite dans sa tête ?

Un rêve, sans doute.

Mais un rêve sans image…

Bizarre.

Et si c'était un ange qui essayait de lui dire qu'il est temps d'accomplir sa mission ?

Quoi qu'il en soit, plus question de dormir, à présent.

Attendre.

Il prend machinalement la bouteille de brandy et s'en sert un verre. S'il faut attendre, autant le faire dans un certain confort.

Horace laisse le prêtre boire son premier verre. Son menssana n'en sera que plus malléable.

Noûs et Nochée sont en face de Tancrède, sous leur forme invisible, en contact mental avec Horace.

L'adversaire patiente, confiant. Sa garde est baissée. C'est le moment.

— Allons-y, lance Horace à ses alliés.

Un sourire béat illumine le visage de Tancrède lorsqu'il voit trois formes éthérées se matérialiser devant lui.

Trois silhouettes célestes se précisent, d'une fascinante beauté, vêtues de longues robes de plasma aux reflets changeants. Ils ont tellement l'air de messagers divins qu'ils n'ont pas pris la peine de se gréer de paires d'ailes.

— Je savais que vous alliez venir, dit Tancrède, la voix vibrante de fanatisme. Mais je m'attendais à des hérons.

— Il a fallu que nous venions en personne te remettre sur le droit chemin, Tancrède.

— Vous ai-je déplu ? Je ne cherche qu'à obéir, bredouille le curé, en proie à un soudain frisson.

— Homme de peu de foi ! Tu as voulu affaiblir cette pauvre enfant pour pouvoir la contrôler plus facilement.

— Je ne voulais que m'assurer du succès de ma mission.

— David n'avait point, en face de lui, un adversaire affaibli quand il affronta Goliath. Mais il n'a point douté et la force céleste lui a permis de vaincre. Malheur à toi, qui recherches une gloire facile ! Tu devras te purifier, mauvais serviteur.

— Ordonnez et j'obéirai.

— Rends à Élyse son apparence première.

— Mais alors je ne pourrai jamais la sauver. J'ai peur de cette enfant, car elle m'a humilié par le feu.

— Elle avait pour mission de te ridiculiser pour extirper de toi ton plus grand péché : l'orgueil. C'est donc par le feu que tu seras purifié. Désormais, ce n'est pas seulement ton chapeau qui brûlera, mais tout vêtement que tu porteras.

— Non ! Je vous en supplie !

Mais Tancrède ne connaît que trop bien cette sensation de chaleur qui l'enveloppe soudain.

Il réagit sans perdre un instant.

Il se retrouve nu comme au premier jour, tandis que son pyjama se consume sur le sol.

— Que vais-je faire, à présent ? pleurniche-t-il. Je ne pourrai même plus me montrer.

— Job aussi était nu. Il n'en continuait pas moins à louer le Seigneur.

— C'est une leçon d'humilité, halète le malheureux. Je l'accepte. Mais je vous en conjure, dites-moi ce que je dois faire, à présent.

— Je te l'ai dit.

— Je n'ose pas ! J'ai peur ! Je ne pourrai la sauver du vice si elle retrouve sa jeunesse et donne son corps de séductrice au suppôt de Satan qui l'encourage de son amour indécent.

— Dans ce cas, tu devras rester nu jusqu'à ce que l'humilité fasse son chemin dans ta pauvre âme orgueilleuse. Quand tu seras prêt, tu nous appelleras en prière. Nous sommes les Anges de Lumière. Appelle-nous humblement et nous viendrons à toi. Tâche de ne plus nous décevoir.

Les trois apparitions se dissolvent.

○

Horace, Noûs et Nochée se matérialisent à nouveau dans la petite maison au bord de la rivière.

— Je n'aurais jamais cru que nous pourrions le duper aussi facilement, rit Nochée.

— Ne nous y fions pas, prévient Horace. Nous l'avons pris au dépourvu, mais il pourrait se montrer plus coriace, à l'avenir. Il a bien des défauts, mais il n'est quand même pas idiot.

— Dans ce cas, je ne lui laisserais pas trop de temps pour réfléchir, conseille Noûs. Pensez-vous qu'il va vous soupçonner ?

— C'est possible, dans la mesure où il m'associe à Élyse. Par ailleurs, il croit dur comme fer aux anges. Donnons-lui jusqu'à trois heures du matin pour nous contacter.

— Pourquoi trois heures ?

— Parce que c'est l'heure où un humain qui passe une nuit blanche a le plus besoin de sommeil. Espérons que la fatigue lui sera mauvaise conseillère.

○

Tancrède est effondré d'humiliation.

Et comme chaque fois qu'il est effondré, il a recours à la bouteille.

Il ne tarde pas à la vider mais n'y trouve que peu de réconfort.

Le brandy a le don d'apaiser le corps, mais n'est d'aucun secours pour éclaircir l'esprit.

N'en pouvant plus d'être nu et vulnérable, Tancrède prend la mauvaise décision. Le froid le fait frissonner. Impossible de s'habiller, sa garde-robe y passerait. Il décide d'aller se remettre au lit afin de pouvoir y réfléchir bien au chaud.

Il se glisse sous les couvertures et s'en couvre jusqu'au menton.

Funeste erreur.

C'est vrai qu'il fait plus chaud dans un lit. Trop chaud même.

Il se relève en sursaut et s'écarte avec un cri d'épouvante de sa literie d'où s'échappe une épaisse fumée.

Quand il pense à éteindre le sinistre, les flammes ont déjà gagné les tentures.

— Les pompiers! crie-t-il.

Mais non. Impossible de recevoir les pompiers en costume d'Adam.

Il saisit le trousseau de clés pendu au crochet à côté de la porte et sort.

L'église et le presbytère de Bois-Rouge occupent une position centrale dans le village. Et comme aucune clôture n'interdit l'accès au terrain qui les entoure, les villageois ont pris l'habitude de le traverser pour passer d'une rue à l'autre, ce qui constitue un raccourci appréciable.

Quelle n'est pas la surprise d'un groupe de jeunes, revenant d'une soirée entre amis, de voir le curé, au pas de course, passer de la cure à la sacristie.

La nudité de leur éternel moralisateur les porte aussitôt à la plaisanterie.

— Eh! Tancrède, ta blonde t'a mis dehors? crie l'un.

— Son mari est à ta poursuite? lance l'autre.

La porte de la sacristie claque.

Les rires des plaisantins cessent quand ils voient les flammes rougeoyer derrière les vitres du presbytère.

16

— **Q**uelle heure est-il sur Terre ? demande Noûs, peu habitué à l'usage d'une montre.

Coup d'œil d'Horace à l'horloge.

— Presque minuit.

— Je pense que ça nous laisse le temps d'aller faire un petit tour du côté d'Héronia. Qu'en penses-tu, Nochée ?

— Excellente idée. D'ailleurs, il va falloir y aller bien vite, alors autant le faire tout de suite.

— Revenez avant trois heures, conseille Horace.

— Nous serons brefs. Juste le temps de sonder le terrain.

Ils se dématérialisent.

Au même instant, ils sont sur Héronia.

Un premier examen leur apprend que Marabout et Ciconia sont dans la salle du rapport en compagnie d'une trentaine de personnes. Le sphérarque et sa compagne sont sur leurs trônes et s'entretiennent avec leurs invités, ceux-là sur des sièges rembourrés de duvettissu.

— S'ils les ont assis confortablement, remarque Nochée, c'est que la bonne entente règne.

— Ou qu'ils essaient de la faire régner. Oh! regarde : Marc est avec eux, là, au premier rang.

— C'est plutôt rassurant. Cela fera plaisir à Élyse de le savoir en sécurité.

Les deux Spirites, invisibles, se faufilent à l'insu de l'assistance et s'installent en première loge.

Marabout termine un long conciliabule que sa femme, n'aimant pas être en reste, conclut :

— Et alors, Nautonier, es-tu convaincu, maintenant, que les Spirites sont nos alliés ?

— Oui, Ciconia, répond le garde avec tiédeur. Je vous fais confiance. Mais il va falloir faire accepter ça à tout Héronia. Depuis des siècles, nous avons appris à craindre les Spirites et à les attaquer quand ils apparaissaient dans leurs bulles.

— Cette peur et cette hostilité ont été entretenues par les hérons. Tu sais comment ils sont, ces oiseaux-là. Ils haïssent tout ce qui n'est pas héron. Ils ont toléré les humains pendant longtemps parce qu'ils y trouvaient avantage. Ils avaient le monopole de la liaison avec la sphère de Terre, et cela flattait leur orgueil. Mais ils n'ont pas hésité à nous trahir dès que le dialogue s'est amorcé avec les Spirites.

— Vont-ils revenir ?

— Non, je ne le crois pas. De toute manière, je leur interdirai l'accès à Héronia. Ils ne me feront pas le coup deux fois !

— Mais qui assurera la liaison ?

— Je ne le sais pas encore, mais j'ai ma petite idée. Des humains, en tout cas. Le premier d'entre eux ira me récupérer les menssanas de cette bande de volatiles.

Marabout attend quelques instants avant d'enchaîner :

— Si vous n'avez pas d'autres questions, mes amis, je vais lancer ma proclamation générale. Je compte sur toi pour m'appuyer, Nautonier. Tout le monde te respecte ; cela donnera du poids à ma déclaration.

— On y va ? demande Nochée à Noûs.

— Non, pas trop vite. Attendons la fin de la proclamation et la réaction qu'elle va susciter. Restons cachés encore un peu.

Marabout ordonne une communication générale avec tous les habitants de la sphère.

— Mes chers Héroniens, votre sphérarque vous parle. Vous éclairez mon cœur et les propos qui vont suivre me sont dictés par le profond amour que j'ai pour vous. La prophétie d'Ibis Ier, fondateur d'Héronia, a commencé à se réaliser. La jeune fille couronnée de flammes est apparue et a reçu le Bâton d'Ambre qui lui revient. Sa présence parmi nous a été facilitée par ceux que l'on appelait jadis les anars. Nous les nommerons désormais par leur vrai nom, les Spirites. Contrairement aux mensonges véhiculés par les traîtres hérons, les Spirites sont nos amis et j'ordonne à tous de les traiter désormais avec respect et civilité. La collaboration des Spirites nous est indispensable, car eux seuls connaissent la seconde partie de la prophétie. Ainsi l'a voulu Ibis Ier dans sa grande sagesse. Les Spirites ignorent la haine et l'agressivité et tout acte hostile envers eux sera passible de désactivation. Dans quelques instants, je rappellerai à moi tous les lance-becs de la sphère et plus jamais une arme ne viendra salir notre harmonie. Les gardes aquatiques, au lieu de leur arme, brandiront désormais leur amour. Que ceux ou celles qui ont une objection ou une question à formuler se transfèrent immédiatement en salle du rapport. Ils seront écoutés avec bienveillance. J'ai dit.

Quelques Héroniens se manifestent. Ils semblent hésitants, mais leur réticence relève plus de l'étonnement que de l'hostilité. On devine qu'ils ont conservé, malgré leur translation, un caractère typiquement humain : la peur du changement.

Noûs profite de cette amélioration pour tenter une brève communication privée avec le sphérarque.

— Nous sommes près de vous, Marabout.

— Merveilleux ! Merci, Noûs. Mais ne te manifeste pas tout de suite. Leur crainte des Spirites n'est pas encore effacée. Je t'appellerai au moment opportun.

Quelques hésitations se manifestent encore, gentiment balayées par la bonhomie de Marabout et l'enthousiasme de Ciconia.

— Mes amis, lance-t-elle joyeusement, vous assistez à l'aube d'une ère nouvelle.

Quelques murmures approbateurs soulignent sa déclaration.

Le sphérarque se lève :

— Je viens de recevoir un message. Deux Spirites, qui comptent parmi mes meilleurs amis, sont arrivés parmi nous. Je vais leur demander de se matérialiser.

Dans la consternation générale, Noûs et Nochée se concrétisent sur l'estrade, entre Marabout et Ciconia.

Nochée, déployant tout son charme, salue le sphérarque et sa compagne puis se tourne vers l'assistance :

— Vous éclairez mon cœur, amis Héroniens.

Nautonier, qui a bien retenu sa leçon, et voyant que la Spirite connaît les usages, s'empresse de répondre ;

— Tu nous éclaires aussi, Spirite.

— Je te reconnais, Nautonier, nous nous sommes déjà rencontrés. Mon nom est Nochée, et voici Noûs.

— Vous nous éclairez, bredouillent quelques-uns sans conviction.

Marc Hautbuisson, qui connaît un peu mieux les Spirites et ne partage pas les craintes de ses voisins, salue les visiteurs avec chaleur.

— Merci d'être revenus si vite. J'avais hâte d'avoir des nouvelles de ma sœur.

— Marc est le frère de la jeune fille annoncée par Ibis Ier, explique Marabout. C'est à la suite de la translation de Marc qu'elle est arrivée sur Héronia.

Quelques Héroniens plus ouverts que les autres applaudissent.

— La jeune fille, dont le nom est Élyse, se prépare, grâce à l'aide des Spirites, à réaliser la prophétie. Elle ouvrira les frontières entre les sphères.

Cette annonce sème la consternation parmi les gardes qui ne connaissent qu'Héronia et leur Terre natale. Jusqu'ici, les autres mondes sont restés un mystère aussi inquiétant que le ciel et l'enfer pour les Zibounous.

— Où est-elle ? demande quelqu'un.

— Sur la sphère de Terre.

— Quand la verrons-nous ?

— Elle a des choses à régler sur Terre, élude Noûs, mais j'espère qu'elle ne tardera pas.

— Dès qu'elle se présentera, proclame Marabout, je ferai le tour d'Héronia en sa compagnie, afin que tous puissent la voir.

Cette fois tout le monde applaudit. Avec même un certain entrain.

— Merci, mes amis. Maintenant, je vais vous prier de nous laisser. Nous devons préparer le retour d'Élyse.

L'assistance se dissout rapidement, à l'exception de Marc, Noûs et Nochée. Aussitôt, Marabout ordonne :

— À mes pieds tous les lance-becs d'Héronia !

En quelques instants, un énorme tas de lances s'accumule devant l'estrade.

— Voilà, conclut le sphérarque, satisfait. Comme ça, plus de mauvaises surprises.

— Êtes-vous sûr que toutes les armes sont rapatriées à vos pieds ? N'ont-ils pu en conserver quelques-unes ?

— Non, Marc, explique Ciconia, le sphérarque d'Héronia a le contrôle absolu de l'armement. Toutes les lances ont disparu des mains qui les tenaient. Tu n'as plus rien à craindre pour Élyse.

— Vous n'avez pas confiance en vos sujets ? s'étonne Nochée.

— En leur loyauté, oui. En leurs réactions instinctives, plus ou moins. N'oublions pas que ce sont des humains…

Le curé Tancrède Bérubé s'est rué dans l'église sous les quolibets de cette bande de voyous qui se fichent de tout. Poussé par l'habitude, il a failli leur crier : « Respectez au moins l'habit que je porte ! » Il s'est ravisé à temps et s'est barricadé à double tour dans la sacristie.

Son premier souci a été de se construire un paravent. Une nappe, quelques dossiers de chaises. Voilà qui cachera au moins les parties honteuses de son individu.

Il saisit le téléphone et sonne le bedeau.

— Osias, viens me rejoindre tout de suite à la sacristie. Oui, je sais, tu dormais. Viens quand même, c'est urgent.

Il raccroche pour couper court aux protestations de son subordonné.

Deux minutes plus tard, on frappe à la porte. Une voix ensommeillée déclare appartenir au bedeau. Tancrède donne un tour de clé et court se cacher derrière le paravent.

Osias Boisvert fait son entrée. Il a jeté un manteau sur son pyjama et chaussé des pantoufles de feutre. Ce petit bonhomme rond et sanguin, aux yeux globuleux, est affublé d'un gros nez rouge. C'est d'ailleurs le surnom que les mécréants du village lui ont attribué : Nez-Rouge. Les méchantes langues disent qu'il est alcoolique et que son nom, en réalité, devrait s'épeler Boit-verre.

Le bedeau, homme perspicace, émet la première constatation que son bon sens lui impose :

— Monsieur le curé, vous êtes à poil !

— Je suis nu, oui. Une malédiction dont je suis frappé. Pas le temps de t'expliquer. Va voir chez moi. Il y a le feu. Préviens les pompiers.

Les sifflements aigus d'une sirène se rapprochent.

— Je crois bien que c'est déjà fait.

— Va voir quand même. Si on me demande, dis que tu ne sais pas où je suis. Je ne veux pas qu'on me voie dans cet état.

Nez-Rouge, que pas grand-chose n'étonne, ressort. Tancrède referme derrière lui.

Quelques minutes s'écoulent pendant lesquelles on entend le vacarme des pompiers mettant leur matériel en batterie. Le bedeau revient.

— Ça chauffe, là-bas, monsieur le curé, dit-il, le manteau sur le bras. Les pompiers disent que ce sera une perte totale. Ils arrosent l'église et les maisons voisines pour empêcher le feu de se propager.

Des coups violents ébranlent la porte.

— Il y a quelqu'un?

— N'ouvre pas, Osias.

— Ouvrez! Police! crie la voix de l'extérieur.

— Jérôme Boudrias! Celui-là, je ne veux surtout pas qu'il entre, chuchote le curé.

— Je vous entends parler, dit la voix de Jérôme. Ouvrez immédiatement.

Osias Boisvert a toujours obéi aveuglément à son seigneur et maître. Mais ce curé déshabillé accroupi derrière son paravent ne lui inspire plus aucun respect.

Il ouvre.

Le policier entre, stupéfait.

— Qu'est-ce que vous faites là tout nu? Il fait froid, vous devriez vous couvrir. À votre âge…

— Je ne peux plus cacher ma nudité. Mes vêtements brûleraient.

— Ah bon! Je pensais que c'étaient seulement vos chapeaux!

○

Noûs et Nochée, voyant que tout se passe bien sur Héronia, ne se sont pas attardés. Ils n'ont pas soufflé mot de l'état de la jeune fille couronnée de flammes, pour ne pas inquiéter leurs hôtes, et ont regagné la maisonnette d'Horace. Leur premier souci a été de contacter mentalement Élyse et de lui donner de bonnes nouvelles de Marc.

— Vous avez fait ça vite ! apprécie Horace. À peine dix minutes de temps terrestre.

— Nous sommes plus utiles sur Terre. Les choses s'arrangent là-bas. Nous avons pu nous montrer en salle du rapport devant une trentaine de gardes aquatiques sans soulever d'hostilité. Ils ont presque été accueillants.

— On aura tout vu ! Ici, par contre, ça se corse. Il y a le feu au presbytère. Tancrède a sans doute voulu se rhabiller malgré l'avertissement...

— Êtes-vous intervenu ?

— Non. Sans vous, je ne puis lui apparaître que sous ma forme habituelle. S'il me reconnaît, il va à nouveau se déchaîner contre moi et surtout contre Élyse. Toutefois, j'ai pu sonder son menssana. Il est aux abois. Il se sent écrasé par le malheur qui l'accable.

264

Il veut mettre un terme à la terreur dans laquelle il se débat.

— Il est mûr, alors ?

— Je le crois. Mais soyons prudents.

Horace et les Spirites se dématérialisent et se transfèrent, invisibles, sur les lieux du sinistre.

○

Jérôme Boudrias est d'une nature placide. Il faut plus qu'une prétendue affaire de sorcellerie pour l'impressionner.

— Je vais devoir vous emmener, monsieur le curé. J'aurai besoin de votre déposition. Et puis, ajoute-t-il avec un sourire mal dissimulé, au poste de police, vous serez à l'abri des regards indiscrets.

On frappe à nouveau à la porte.

On ouvre sans attendre de réponse. Nez-Rouge n'avait pas verrouillé après avoir laissé le policier s'introduire.

Un homme, brandissant un appareil photographique se rue dans la sacristie, bousculant la porte d'un coup d'épaule.

— Hugo Renaudeau, de *l'Écho de Bois-Rouge*!

— Un journaliste! hurle Tancrède, paniqué.

Il se dresse d'un bond pour s'enfuir. Le photographe, dont les réflexes professionnels sont bien aiguisés, saute sur l'occasion.

Un éclair de flash.

Il possède maintenant un superbe cliché du curé de Bois-Rouge cachant son sexe de ses deux mains superposées.

Anéanti, Tancrède s'effondre sur une chaise, secoué de sanglots.

Le policier récupère d'urgence une situation qui risque de lui échapper.

— Sortez d'ici, monsieur Renaudeau. Je donnerai une communication demain matin au poste de police. Aidez-moi, monsieur Boisvert, je vais l'emmener à l'abri.

Il saisit le curé par un bras. Nez-Rouge s'empare de l'autre. Tancrède se laisse traîner sans réagir. Il a dépassé le stade de la honte.

Horace, Noûs et Nochée le voient arriver encadré par le caporal et le bedeau, qui se hâtent d'aller cacher la nudité de l'homme d'Église dans la voiture de police.

— Ce n'est plus qu'une épave, souffle Noûs. Il est temps d'agir.

Les flammes, que les pompiers n'essaient même plus d'éteindre, font rage dans le presbytère.

Tancrède lance un regard d'adieu à sa résidence.

D'un coup, l'incendie s'éteint, comme si la vieille demeure n'avait jamais brûlé.

Tancrède tourne la tête vers la foule d'où jaillissent des exclamations de surprise. Il a le temps, l'espace d'un éclair, d'apercevoir la silhouette angélique d'un de ses visiteurs de la soirée.

Il se dégage les bras et tombe à genoux.

— Merci mon Dieu de mettre un terme à mes souffrances ! J'ai péché par orgueil et je me repens.

Le curé se redresse.

Nez-Rouge, dans un instinctif élan de charité, jette son manteau sur les épaules de son maître. Celui-ci a le réflexe de l'arracher, mais se ravise. La brûlure qu'il attendait ne se manifeste pas. Il s'enveloppe dans le vêtement providentiel.

— Merci, Anges du Seigneur ! bredouille-t-il, exalté, les yeux au ciel. Viens à moi, jeune Élyse. Viens à moi et ensemble nous te guérirons.

— Qu'est-ce qu'il raconte ? demande Jérôme en ouvrant la porte de sa voiture.

— Je ne sais pas, répond Nez-Rouge. Il est bizarre, depuis quelque temps. Il dit des choses que lui seul comprend.

Noûs, qui venait d'apparaître brièvement, a déjà repris sa forme invisible.

— J'ai l'impression que notre curé devient raisonnable.

— Je le crois aussi, dit Nochée. J'ai vu sur son visage une expression d'humilité et de charité.

— Oui, il est méconnaissable, ajoute Horace. Aurait-il vraiment abandonné son orgueil ? Il faut s'en assurer immédiatement. Rendez-vous chez moi dans dix secondes.

○

Élyse, rompue par les émotions de la journée, a fini par s'endormir, la tête sur la poitrine de Jonathan. Elle a écouté longuement les battements de son cœur.

Un cœur qui bat encore pour elle.

Pour combien de temps ?

Une présence s'insinue doucement dans son menssana. Elle ouvre l'œil.

— Bonsoir Nochée, vous êtes gentille de venir me rendre visite.

— Élyse, comment te sens-tu?

— Comment voulez-vous que je me sente? Vieille et fatiguée.

— Vérifie quand même.

Tout doucement, pour ne pas réveiller Jonathan, elle fait jouer quelques articulations qui lui faisaient mal il y a une heure à peine. Elles bougent comme des mécaniques bien huilées.

Envahie par un fol espoir, sa main part à la recherche de ces rides, de ces muscles affaiblis, de ces mollesses qui remplacent un jour des rondeurs oubliées.

Mais c'est un corps de jeune fille que la main d'Élyse rencontre. D'ailleurs, pour confirmer ce premier examen, la main de Jonathan est venue rejoindre la sienne.

— Je suis jeune! s'écrie Élyse à haute voix, tant pour solliciter Jonathan que pour rassurer Nochée.

Mais Nochée, discrètement, s'est déjà éclipsée.

○

Retour triomphal de Nochée chez Horace. À voir son air épanoui, ses compagnons ont compris avant même qu'elle ne leur rapporte la conversation qu'elle vient d'avoir.

L'ambiance est à la fête, mais Horace, toujours sage, rappelle ses compagnons à la prudence.

— Je partage votre joie, mais il faut rester vigilants. Il n'y a rien de plus instable qu'un être déprimé. Tancrède pourrait bien changer d'attitude.

— Il faudrait peut-être retourner le sonder un petit coup ?

— Je le pense, mais sans nous montrer. Juste pour évaluer son état d'âme et s'assurer de ses bonnes dispositions.

17

Élyse et Jonathan n'ont pas tardé à tenir leurs promesses d'amour. Ils y ont mis d'autant plus d'ardeur qu'ils avaient une demi-nuit à rattraper. Qu'ils avaient seize ans d'impatiente curiosité à satisfaire. Qu'ils avaient besoin de laver leurs corps des frustrations d'une passagère vieillesse.

— C'était affreux d'être vieille ! Profitons-en tant que nous sommes jeunes, a soupiré Élyse.

Rien ne les a arrêtés jusqu'à l'aube, lorsque la lassitude est venue leur apprendre qu'ils s'étaient donné tout ce qu'ils avaient à échanger.

Leurs corps se sont explorés, caressés, pénétrés. Qu'il est bon de faire l'amour quand on a un menssana ! Le partage est total, les pensées, les émotions, le plaisir de l'un sont en même temps les pensées, les émotions et le plaisir de l'autre.

Quand leurs corps ont demandé grâce, ils ont découvert qu'ils pouvaient encore faire l'amour au niveau des menssanas et que c'était presque aussi bon.

Vers sept heures, Nochée est venue rencontrer Danielle qui, dans sa cuisine, meublait son insomnie en préparant du café.

— Vous avez mauvaise mine, Danielle.

— Je n'ai pas dormi de la nuit. Jacques a fini par s'assoupir. Je le laisse se reposer. Élyse et Jonathan ne sont pas encore levés. À leur âge, le sommeil est plus fort que le chagrin. Mais je ne devrais pas parler de l'âge d'Élyse. Je n'arrive pas à m'y faire.

— Je ne pense pas qu'ils aient beaucoup dormi cette nuit, dit Nochée avec un grand sourire, et vous n'avez plus à vous tracasser pour son âge.

— Vous voulez dire que…

— Mais oui, Danielle. Votre fille a retrouvé ses seize ans. Et ils ont fêté cela de la plus charmante manière qui soit.

Danielle bondit de sa chaise, court vers sa chambre, secoue Jacques.

— Élyse est guérie ! lui crie-t-elle dans les oreilles.

Le vacarme réveille Élyse et Jonathan. Tout le monde se retrouve dans la cuisine. Jeunes et moins jeunes ont des mines chiffonnées, conséquence de leurs insomnies respectives.

— Tu aurais dû venir nous prévenir, Élyse, lui reproche Danielle en riant.

— Danielle, dit doucement Nochée, ces enfants avaient des choses plus urgentes à se dire…

— Vous avez pris vos précautions, au moins ? s'inquiète Danielle, toujours pratique. Je ne veux pas être grand-mère à trente-six ans !

— Maman, soupire Élyse, nous ne sommes pas stupides !

Jacques dévisage Jonathan avec un sourire entendu.

— Espèce de chenapan ! ne peut-il s'empêcher de grommeler.

Ce tendre dialogue est interrompu par l'arrivée de Noûs et Horace. Après quelques échanges de bonnes nouvelles, on en arrive à faire, une fois de plus, le point sur la situation.

— Je pense, dit Noûs, que le moment approche où nous pourrons dévoiler la seconde partie de la prophétie.

— J'ai bien hâte de l'entendre, celle-là. Avec tout ce que j'ai enduré à cause d'elle…

— Tu la connaîtras bientôt. Nous avons pour mission de ne te la révéler qu'à une condition.

— Encore une barrière ! De quoi s'agit-il, cette fois ?

— Il est dit clairement dans le testament d'Ibis Ier que tu ne dois découvrir ta mission que quand la paix régnera en toi et autour de toi.

— Bon ! Nous y voilà ! Il faut que j'aille me réconcilier avec Tancrède.

— Oui, Élyse, c'est indispensable.

— Mais je n'ai plus rien à voir avec lui. Il a retiré le sort qu'il m'avait jeté.

— Oui, mais toi aussi tu lui en as jeté un.

— Bon, eh bien, je le retire à l'instant. Voilà, nous sommes quittes.

— Oh non, vous n'êtes pas quittes ! Il se croit investi d'une mission à ton égard. Il t'estime possédée par le Démon et s'est mis en tête de t'exorciser.

— Je n'ai que faire de sa paranoïa et de ses bénédictions! En quoi son obsession m'empêche-t-elle de vivre ma vie?

— Tu oublies que Tancrède possède maintenant un menssana. À cause de sa détermination à te sauver, une partie de ton menssana est prisonnière du sien. Or, il te sera impossible de réaliser la prophétie sans pouvoir disposer de la totalité de toi-même.

— Puisqu'on parle de cette fameuse prophétie, Noûs, j'aimerais en savoir un peu plus.

— Soit. Je vais utiliser, pour te la décrire, des images que tu connais. Beaucoup de Zibounous croient en l'existence du ciel, de l'enfer et du purgatoire. Supposons que ces deux derniers existent sur des sphères différentes et qu'il faille les traverser pour accéder à la sphère du paradis. Malheureusement, le passage est bloqué au-delà de l'enfer. Ce qui revient à dire qu'un jour l'humanité entière se retrouvera en enfer. Ta mission consistera à libérer les sphères.

— Je ne crois ni au ciel ni à l'enfer!

— Ce ne sont que des images, je te l'ai dit, mais elles reflètent une partie de la réalité.

— Bon! Je veux bien faire un effort, concède Élyse, à contrecœur. Que devrai-je accomplir?

— Je l'ai entendu t'appeler dans ses prières. Il a dit: «Viens à moi, Élyse, et ensemble nous te guérirons.»

— N'est-ce pas un piège? Je n'ai aucune confiance en ce faux jeton.

— Je l'ai sondé. Il était sincère. Et de toute manière, nous serons là pour veiller sur toi.

— Ce n'est pas dangereux, au moins, un exorcisme?

— Pas plus que de prendre un comprimé d'aspirine quand on n'en a pas besoin.

— Soit, je vais me mettre en communication avec lui.

— Non, n'utilise pas ton menssana. Il va encore croire à de la sorcellerie. Prends le téléphone. Tancrède est encore au poste de police.

C'est Jérôme Boudrias qui décroche. Il hésite à mettre Élyse en contact avec son pensionnaire.

— Monsieur le curé a été très éprouvé par l'incendie de cette nuit et tient des propos incohérents. Il t'accuse de lui brûler ses chapeaux.

— C'est très important que je lui parle. Vous verrez, il ira beaucoup mieux après. Dites-lui que je viens à lui amicalement. Et mettez-lui un chapeau sur la tête.

— Je l'ai déjà fait. Il y a mis le feu.

— Refaites-le, je vous en prie. Il ne brûlera pas, cette fois-ci.

— D'accord, je vais essayer. Attends-moi.

Jérôme va rejoindre le curé dans la cellule où, faute de chambre d'amis au poste de police, il a passé la nuit. Il l'invite à répondre au téléphone.

Tancrède se raidit.

— Vient-elle m'accabler dans ma souffrance?

— Non, elle est tout à fait amicale. Elle dit que cela vous fera du bien. Elle a aussi dit que je dois vous coiffer d'un chapeau.

— C'est un test. Si le chapeau ne brûle pas, c'est qu'elle a fait amende honorable. Dans ce cas j'irai lui parler. Un chapeau, vite !

Jérôme n'a pas de journal pour lui bricoler, comme la dernière fois, un chapeau de Napoléon. De guerre lasse, il va chercher sa casquette de policier et la tend à regret à son hôte.

Le curé la lui arrache des mains et la dépose sur son crâne roussi. Elle est trop grande et lui tombe sur les sourcils, rabattant ses oreilles comme celles d'un labrador.

Mais aucune fumée suspecte ne s'en dégage.

La transformation est immédiate. Le vieil homme, recroquevillé dans des frusques mal ajustées que Nez-Rouge lui a dénichées, se redresse, l'œil brillant. Il se lève de son grabat, tend sa casquette à Jérôme et d'une voix bien timbrée, lui demande :

— Où est le téléphone ?

— Dans mon bureau. La petite est en ligne.

Tancrède arpente le corridor d'un pas ferme en marmonnant des « Merci, mon Dieu ! », pénètre dans le bureau et saisit le combiné.

— Ainsi tu es venue à moi, mon enfant ! Ta colère s'est donc apaisée ?

— Je ne vous en veux pas du tout, monsieur le curé. La dernière fois, j'étais un peu énervée.

— Ah ! folle jeunesse qui cède à ses passions ! Ah ! généreuse créature qui cherche le pardon !

278

S'il continue comme ça, se dit Élyse, *je vais lui jeter un autre sort*. Elle se domine et enchaîne :

— J'aimerais vous rencontrer.

— C'est mon plus cher désir, Élyse.

— Où pouvons-nous nous retrouver ?

— Hélas ! Je n'ai plus de domicile. Et un poste de police me semble peu approprié. Il faut que nous soyons seuls.

— Venez donc chez moi. Je serai seule. Je suis sûre que le caporal Boudrias acceptera de vous y conduire.

Bref conciliabule avec le policier qui n'est que trop heureux de se débarrasser d'un pensionnaire encombrant. Tancrède reprend le combiné.

— Je serai chez toi dans une demi-heure.

Élyse a juste le temps de faire place nette.

— Il faut que vous partiez tous ; le curé veut que nous soyons seuls.

— On peut se cacher, propose Jacques, inquiet pour la sécurité de sa fille.

— Non. S'il devine votre présence, il se méfiera et tout sera à recommencer. Allez m'attendre chez Horace.

— Je préférerais rester près de toi en me rendant invisible, dit Noûs. Pour t'aider en cas de besoin.

— Vous, vous avez une idée derrière la tête.

— Ça se pourrait. Je crains que ce ne soit pas aussi facile que tu ne le prévois. Ne sois pas surprise si tu me vois intervenir sous une forme assez inhabituelle.

Élyse, pressée par le temps, ne cherche pas à en savoir davantage. Elle met sa famille et ses amis à la porte.

— Prenez la voiture. S'il y a un véhicule dans la cour, il pensera que vous n'êtes pas partis.

— Ne prends aucun risque, surtout! lance Jonathan en ouvrant la porte. Appelle-nous si tu as besoin d'aide.

○

Tancrède Bérubé sort de l'auto-patrouille avec toute la dignité que lui autorisent ses jeans, ses baskets et son coupe-vent aux couleurs de l'équipe des Canadiens de Montréal.

Élyse le reçoit.

Les deux antagonistes ne peuvent s'empêcher de se toiser comme des lutteurs avant l'affrontement.

Élyse a hâte d'en finir. Tancrède ne peut retenir un frisson en pénétrant dans l'antre du Malin.

Élyse s'exhorte au calme. Elle s'est juré de le laisser faire ses salamalecs sans lui mettre de bâtons dans les roues. Et surtout sans formuler les commentaires désobligeants qui se pressent derrière ses lèvres.

Tancrède, rempli de la force que lui ont conférée les «messagers célestes», s'impose le calme d'où émanera l'autorité.

— Assieds-toi, mon enfant, nous allons commencer tout de suite.

Il débute par une bénédiction.

Pas de réaction.

Elle se demande s'il faut répondre par un signe de croix.

Dans le doute, elle s'abstient. Elle décide de rester passive.

Suit un long rituel. Tancrède est debout et se déplace fréquemment. Il fait parfois le tour de la chaise où Élyse prend son mal en patience. Il l'abreuve généreusement de *vade retro Satanas* bien sentis.

Aucune réaction.

Il poursuit son rituel, l'alimente de phrases de son cru. Il ordonne au Diable de quitter ce corps innocent et de le rendre à son créateur.

Puis il s'adresse à sa «pénitente»:

— Ne le retiens pas, Élyse. Ne sens-tu pas qu'il s'accroche à toi? Laisse-le sortir et tu seras guérie.

— Oui, dit Élyse. Je sens que ça bouge dans mon âme.

Pieux mensonge, mais après tout, si ça peut lui faire plaisir…

L'exorciste s'énerve peu à peu. Sa patience, denrée rare, est sur le point de toucher au fond de sa réserve.

Des perles de sueur luisent sur son crâne aux reflets roses.

Élyse, au lieu de se sentir irritée par les pauvres tentatives de l'apprenti sorcier, est au contraire gagnée par la pitié. Mais comment faire comprendre à ce vieux bonhomme aux idées dépassées que le Diable n'existe pas et qu'il est en train d'appliquer un pansement sur une jambe de bois?

Et Noûs qui n'intervient pas! Ce serait bien le moment, pourtant, de donner un

282

petit coup de pouce à Bérubé. On ne va pas rester comme ça toute la journée!

La jeune femme décide de jouer le jeu à fond.

Elle se contorsionne et exécute des grimaces de colère et d'épouvante, comme si elle était la proie d'un violent combat intérieur.

Tancrède accélère le débit de ses incantations.

Le ton monte. Il se met à crier ses pieuses exhortations d'une voix aiguë, presque hystérique.

— Ose te montrer, Satan! Ose te manifester, que je puisse te renvoyer en enfer, d'où tu n'aurais jamais dû sortir!

Ah bon! Il lui faut son petit diable en chair et en os, maintenant. Ça va être difficile à trouver. Augmentons la comédie, décide Élyse en poussant des gémissements à fendre l'âme. *Si je pouvais baver, ce serait du plus bel effet.*

Au moment où elle s'y efforce, une ombre grimaçante s'élève derrière elle. Pas vraiment une apparition tangible, mais une silhouette assez hideuse pour avoir l'air diabolique. C'est Noûs qui sort des coulisses pour jouer sa grande scène.

Il ouvre une bouche démente comme pour proférer de muets blasphèmes.

Le monstre brandit des mains crochues qui ne griffent que les courants d'air.

Il recule, acculé au mur, puis se dissout avec un ricanement sinistre très convaincant.

Élyse ne reste pas inactive. Il faut donner la réplique à cet excellent comédien. Avec quelques rictus de souffrance, elle lance un long cri de délivrance, glisse de sa chaise et s'affaisse inanimée sur le sol.

En prenant soin de ne pas se faire mal.

Tancrède, éberlué, émerge de son état de transes. Comprenant qu'il a réussi, il tombe à genoux et se lance dans une prière d'action de grâce passionnée.

L'égoïste! se dit Élyse. Il pourrait au moins s'occuper de moi! Vérifier que je ne suis pas morte...

Elle profite néanmoins du répit que lui accordent les dévotions du curé pour contacter mentalement ses amis.

— Ça y est! Il a eu son petit numéro. Mais ne me laissez pas seule. Je vais vous appeler par le téléphone pour que ça ait l'air plus naturel.

Puisque l'exorciste ne se décide pas à venir la relever, Élyse sort de son «évanouissement» et se dirige vers son «sauveur».

Mais elle a beau s'adresser à Tancrède, il est dans un autre monde. Son pieux visage est transfiguré par l'extase. Il a les yeux tournés vers le ciel et marmonne des prières à mi-voix.

Élyse prend le combiné et signale le numéro d'Horace.

— Vous pouvez venir me rejoindre. Monsieur le curé a réussi. Je suis guérie.

Parallèlement, elle leur lance un message mental :

— Faites-lui une belle fête ; je veux qu'il soit satisfait et qu'il me fiche la paix à l'avenir. Mais dépêchez-vous, il est tout bizarre. Impossible de lui parler. Je me demande s'il n'est pas devenu fou. Trop d'émotions, à son âge…

— Ne t'inquiète pas pour lui, répond Horace, Noûs est en train de s'en occuper.

Tancrède sort de son hébétude mystique au moment où Jacques, Danielle et les autres arrivent. Il est aussitôt entouré et félicité. Il sourit, joue les modestes.

— Je n'ai fait que mon devoir…

N'en rajoutez pas trop, pense Élyse, *il est déjà assez orgueilleux comme ça.*

Mais tout se passe dans l'harmonie. L'obscur petit curé de village, tout gonflé d'une importance qu'il n'a jamais eue, interprète son rôle de héros du jour avec une totale conviction. Même Horace trouve grâce aux yeux de l'abbé victorieux, prêt, en ce grand jour, à se montrer magnanime. Il faut dire qu'Horace a eu la prudence de jouer au pécheur repenti qui reconnaît ses fautes passées.

Le maître de bief a eu droit, en échange, à une interminable histoire de bon berger et de brebis égarée...

○

Après tout cela, il a bien fallu inviter Tancrède à dîner.

C'était incontournable. On ne se débarrasse pas aussi facilement d'un curé triomphant en plein délire pastoral.

Pas moyen de lui faire lâcher le récit de l'aventure de sa vie.

— Le Démon, après avoir quitté Élyse, s'accrochait à moi. Mais il a dû m'abandonner à mon tour. J'ai senti que quelque chose d'énorme était arraché de mon âme.

— Ça, a dit Noûs en communication mentale, c'était moi qui lui reprenais tous les menssanas que les hérons lui avaient transférés.

Assurée que Bérubé ne possédait plus aucun pouvoir de perception télépathique, Élyse a mis au point un petit jeu très divertissant consistant à commenter mentalement, par des impertinences bien senties, les propos passionnés de Tancrède.

Bref, tout le monde s'est quand même bien amusé cet après-midi et plus d'un convive a dû quitter la table périodiquement pour aller vider ses fous rires dans la discrétion de la salle de bain.

Heureusement, Nez-Rouge a téléphoné à son patron vers seize heures pour lui annoncer qu'il lui avait trouvé un logement provisoire.

Jonathan s'est fait un plaisir d'emprunter la voiture de Jacques et Danielle pour aller reconduire le saint homme en ses nouvelles pénates.

18

La salle du rapport d'Héronia est bien changée, depuis la dernière fois. Il y a toujours des fontaines dans tous les coins, mais aucune ne représente plus de héron. Les sièges rembourrés qui avaient été disposés devant l'estrade pour mettre les gardes à l'aise – une idée de Ciconia – sont restés en place. La vaste pièce est maintenant devenue un confortable amphithéâtre.

Marabout et sa compagne descendent les trois marches, le sphérarque escamote la chaloupe d'une pensée et tous se saluent avec effusion. Surtout Élyse et Marc, qui n'ont pas encore eu le temps de savourer leurs retrouvailles.

Encore un petit coup de menssana et les sièges se rangent en cercle autour d'une grande table verte translucide.

— Du vert sur Héronia ? s'étonne Élyse. Je croyais que tout y était bleu.

— Le vert est un dérivé du bleu, explique Marabout. Et puis il est grand temps qu'Héronia élargisse ses horizons. Nous avions pensé à une table en bois, mais ce matériau n'existe pas dans notre sphère. Il a fallu se contenter d'une table d'émeraude.

— Une émeraude de cette taille ? Sur Terre, vous seriez milliardaires !

— Oh ! tu sais, l'argent, dans une sphère mentale…

Tous s'installent autour de la table d'émeraude. Ciconia l'a choisie ronde, afin qu'il n'y ait pas de place d'honneur.

Toutes les têtes se tournent vers Noûs et Nochée. Le moment est venu de prendre connaissance de la seconde partie de la prophétie d'Ibis Ier.

Noûs, qui a gardé de ses origines humaines le sens du spectacle, prend un air recueilli et s'éclaircit la gorge avant de parler.

— Cette prédiction ne pouvait être révélée avant qu'Élyse ne soit débarrassée de ses entraves terrestres. Or, la haine réciproque qu'elle partageait avec Tancrède Bérubé était une entrave de taille. Élyse est maintenant libre et forte. Il reste cependant une condition à remplir : Élyse et Jonathan, acceptez-vous d'accomplir votre mission ensemble ?

Élyse se lève, mécontente.

— Que cette condition soit la dernière ; j'en ai assez de toutes ces barrières. Je vais répondre à votre question, Noûs. Pour ce qui est d'agir ensemble, il est exclu qu'il en soit autrement. En ce qui concerne la mission, nous déciderons, Jo et moi, si elle nous convient.

— Bien parlé, approuve Jonathan. Assez de secrets ! À vous d'éclairer notre lanterne.

— Ce sera à vous deux de l'éclairer. La seule chose que vous saurez en partant, c'est qu'il vous faudra passer d'une sphère à l'autre. Vous devrez découvrir comment procéder. Cela s'appelle « avoir carte blanche ». Votre mission ne sera terminée que quand vous aurez atteint la dernière étape.

Quelques instants de silence et le Spirite enchaîne :

— L'autre partie du testament d'Ibis Iᵉʳ dit ceci :

L'élu de la jeune fille sera le jeune homme qui aura le courage de s'emparer du Bâton d'Ambre et de le remettre à sa compagne.

Élyse balaie ses compagnons d'un coup d'œil circulaire, guettant une réaction. Profondément déçue, elle éclate :

— Pff ! Si c'est ça, la prophétie, alors moi aussi, je suis prophète ! Vous direz à Ibis Iᵉʳ que nous n'avons pas attendu sa permission, Jo et moi.

Noûs, qui sait parfois se montrer désarmant, lui répond avec une charmante franchise :

— Mais bien sûr, que tu es une prophétesse ! Tu es même la dernière. Celle après qui nulle autre ne sera plus nécessaire. Quant à Ibis Iᵉʳ, tu lui feras ton commentaire de vive voix.

— Quoi ? Je vais le rencontrer ? Mais je pensais qu'il était mort.

— La mort, Élyse, n'est qu'une illusion. Quand on meurt, on cesse d'être ici pour être ailleurs.

— Et où est-il ?

— Il ne m'appartient pas de te le dire. Tu devras le découvrir par toi-même. Si tu écoutais plutôt la suite !

— Ah bon ! Je me disais aussi…

— Je continue :

Quand les Maîtres de l'Ambre auront uni leurs forces, ils parcourront les sphères et les ouvriront l'une à l'autre.

— Ça, c'est plus sérieux, admet Élyse. Mais c'est plus obscur, aussi. Comment faire pour parcourir les sphères ? Et surtout, qu'est-ce qui en a causé la séparation ?

— Ibis Ier a voulu qu'il en soit ainsi. Jonathan et toi devrez ouvrir les passages afin que l'humanité ait accès aux sphères supérieures. Pour parcourir les sphères, il faut procéder comme tu l'as fait en venant ici. Il faut chaque fois un passage et une clé. Pour passer de la Terre à Héronia, le passage était le gros rocher gris. Et la clé, la chaloupe d'Horace. Pour la suite, le Bâton d'Ambre sera la clé. Quant au passage, seul le sphérarque local pourra te le désigner.

— Connaissent-ils la prophétie sur les autres sphères ?

— Oui, Élyse, mais seulement la première partie. Dois-je te la rappeler ?

— Oui, comme ça tout sera clair dans ma tête.

— Comme tu veux :

Quand les humains seront en même temps la vie et la mort de la sphère de Terre, viendra une jeune fille couronnée de flammes qui connaîtra la maîtrise des quatre éléments primordiaux. Dans une sphère meilleure, elle recevra le cinquième, l'Ambre, qui lui permettra d'atteindre les deux derniers, la Lumière et l'Esprit.

— Oui, les deux parties s'enchaînent. J'ai reçu l'Ambre et formé mon couple ; il nous reste à passer sur la sphère suivante. Au fait, d'où sortent-elles, ces fameuses sphères ?

— Ceci exige une explication, en effet. Jadis, Ibis Ier a fondé Héronia pour regrouper les esprits des hommes qui mouraient sur la Terre et leur donner un menssana semblable au sien. Il demanda alors aux hérons de veiller sur la sphère en attendant que les premiers humains y fassent leur apparition. Seuls ceux qui avaient un niveau de conscience élevé y accédaient. Les autres devaient se réincarner jusqu'à ce qu'ils méritent d'effectuer une translation vers Héronia. Ainsi, la sphère se peupla peu à peu et les humains gardèrent les hérons à leur service pour assurer la liaison avec la Terre.

— Une belle gaffe, comme on a pu le voir !

— C'était provisoire. Il était prévu que quand tu interviendrais, les hérons reprendraient leur condition d'oiseaux sur la Terre. Marabout devra maintenant désigner un humain pour réorganiser la liaison.

— Je parie que ce sera Horace.

— Non, Élyse, dit le vieux. J'ai fait ma translation vers Héronia il y a des siècles. Ma tâche de maître de bief est accomplie. Je vais bientôt accomplir ma translation vers la sphère suivante. Un autre que moi héritera de ma chaloupe et de ma petite maison au bord de l'eau.

— On peut savoir qui ?

— Tu peux facilement le deviner, intervient Marabout. Pense à quelqu'un qui a réalisé sa translation et qui connaît bien le bief de la Rivière-aux-Souches.

— Marc !

— Hé oui ! Marc. Ton frère sera à la fois agent de liaison et maître de bief. Il apprendra son métier en compagnie d'Horace.

Élyse se tourne vers son frère :

— Mais alors, tu vas revenir sur Terre ?

— Bien sûr, répond Marc, c'est indispensable. Et c'est d'ailleurs la seule manière pour moi d'y retourner. Je ne me suis donc pas fait prier quand Marabout m'a offert le poste.

— Ce sont nos parents qui vont être contents !

— Je compte d'ailleurs sur toi pour aller préparer le terrain.

— J'y vais tout de suite !

— Non, Élyse, sois patiente. Nous nous en occuperons quand tu reviendras de ta mission.

— Bon, mais alors, parlons-en de ma mission !

— Il faut d'abord, précise Nochée, que tu connaisses la situation des sphères. Au départ, il n'y avait que la Terre. Ibis Ier a successivement créé les six autres. Cela lui a pris onze mille ans. Les six sphères supérieures sont des étapes vers l'épanouissement total de tous les êtres. Sur Terre, les humains se réincarnent jusqu'à devenir des frontaliers pourvus d'un menssana. Après leur dernière mort, ils effectuent leur translation de la sphère de Terre à la sphère d'eau, Héronia, qui est une sphère mentale. Au-dessus d'Héronia se trouve Éolia, la sphère d'air. C'est un monde de pure beauté. On y accueille avec joie tout ce qui est nouveau et différent.

— Ça nous changera des hérons !

— Acceptez-vous la mission ?

Élyse et Jonathan échangent un regard, puis un sourire :

— Puisqu'on a carte blanche…, commence le jeune homme.

— Quand partons-nous ? coupe sa compagne.

— Tout de suite, si Marabout veut bien vous indiquer le passage.

— Le gardien du passage est Nautonier, que vous connaissez déjà.

— J'espère qu'il s'est calmé depuis la dernière fois.

— Oui, Élyse, il t'est à présent tout dévoué.

Les dalles turquoise du marais de marbre s'étendent à l'infini. Comme par enchantement, la tête de Nautonier émerge d'un canal. Il accourt et lance de loin :

— Prophétesse, vous éclairez mon cœur !

— Vous m'éclairez aussi, Nautonier. Je vous présente mon compagnon, Jonathan.

Nouvel échange de politesses. Le garde aquatique, mal à l'aise, tripote entre ses gros doigts son bonnet de duvettissu et se balance d'un pied sur l'autre.

— Eh bien, Nautonier, que se passe-t-il ? Vous avez l'air plus timide que la dernière fois !

— Ah ! Prophétesse, maudit soit le jour où j'ai failli vous tuer ! Me pardonnerez-vous ?

— Il y a longtemps que nous vous avons pardonné. Comment en vouloir à un homme qui faisait son devoir avec courage ?

— Merci, prophétesse.

— Appelez-moi Élyse.

— Euh ! Oui, Élyse. Marabout m'a donné l'ordre de vous livrer passage vers Éolia. Je vais vous y conduire. Avez-vous la clé ?

— Oui, répond-elle en exhibant le Bâton d'Ambre.

— Très bien, alors. Suivez-moi.

Nautonier les amène au bord d'un long canal rectiligne dont l'extrémité semble se perdre à l'horizon. Il les invite à prendre place dans une grande chaloupe où six matelots tiennent les rames, prêts à appareiller.

En voyant arriver leurs passagers, les rameurs se lèvent, se découvrent et les accueillent avec des «Vive les prophètes!»

Élyse et Jonathan, un peu intimidés par le rôle de vedettes qu'on leur attribue, prennent place sur deux sièges d'honneur installés à l'arrière de l'embarcation.

Le jeune homme n'a guère ouvert la bouche depuis l'arrivée de Nautonier.

— Quelque chose ne va pas? s'inquiète Élyse.

— J'aime l'idée de notre mission, mais j'en ai assez d'être le point de mire. J'ai hâte d'être seul avec toi dans la prochaine sphère.

Nautonier, debout à l'avant, commande la manœuvre. On largue les amarres et les matelots trempent leurs rames dans l'eau en les maintenant contre la coque pour ne pas freiner. Aussitôt, le bateau se met en route et prend de la vitesse, sans un coup d'aviron et sans que quiconque touche au gouvernail.

— Curieuse manière de ramer, s'étonne Jonathan.

— Navigation mentale, suppose Élyse. Les rameurs offrent la force de leurs menssanas et Nautonier s'en sert à sa guise.

Après quelques minutes de navigation à vive allure, le bateau s'arrête, les avirons sont levés et l'amarre de duvettissu jetée autour d'une bitte de saphir. On entend, tout près, le bruit d'une cataracte.

— Nous sommes arrivés au passage, déclare Nautonier.

Il les conduit près d'un gouffre circulaire où les eaux du canal se déversent avec un tel fracas qu'il faut crier pour se parler.

— C'est ici, annonce leur guide. Tenez-vous étroitement enlacés, ne vous lâchez pas et ne perdez pas le Bâton d'Ambre. Sautez, maintenant!

Ils hésitent à peine. Sur Terre, jamais ils n'auraient pris un tel risque, mais ils ont tellement vu de choses étranges sur Héronia, qu'ils se disent que ce gouffre aussi est mental et que rien ne les menace.

Un dernier «je t'aime» pour se donner du courage. Ils se jettent dans le vide.

La brutalité de l'eau est telle qu'ils ont de la difficulté à rester unis. Ils retiennent leur souffle pour ne pas se noyer.

Mais très vite, l'eau devient plus légère. Elle se transforme en un simple nuage de vapeur où ils flottent en tourbillonnant. La pesante humidité du gouffre disparaît et leurs vêtements trempés sèchent en quelques secondes. Suspendus dans l'air, ils peuvent à nouveau respirer librement et descendent doucement vers le sol – ou ce qui en tient lieu.

Un paysage se précise.

Ce ne sont plus les carrelages bleus d'Héronia, mais des dunes, des prés et des bois aux couleurs mouvantes.

Les deux amants, toujours enlacés, atteignent le sol sans que leurs pieds en ressentent le contact. Ils sont infiniment légers, comme en apesanteur.

Au loin, une ville tend vers le ciel les doigts délicats de ses hautes tours.

— Allons voir, propose Élyse. Il doit bien y avoir du monde là-bas.

— Oui, sans doute.

Ils essaient de se mettre en mouvement, mais n'ont aucune prise sur le sable semé de touffes d'herbes fleuries. Pourtant ils se mettent à avancer en direction de la ville.

— Je n'aime pas ça, dit Jonathan. Je préfère me déplacer par ma propre volonté.

Aussitôt leur mouvement s'arrête.

— Je crois savoir comment on se déplace, ici, Jo. Donne-moi la main et laisse-moi te conduire. Regarde ce bosquet d'arbres à notre gauche, comme il est beau. J'ai envie d'aller le visiter.

— Très bonne idée. Ça nous permettra de prendre contact avec cette nouvelle sphère.

Leur déplacement reprend en direction des arbres, qui composent une forêt dense et impénétrable.

À leur approche, les troncs se serrent les uns contre les autres pour leur dégager un invitant sentier. Juste assez large pour qu'ils puissent y cheminer à deux de front.

— Tu avais raison, Élyse ! Nous sommes dans un monde d'enthousiasme. Nous nous dirigeons automatiquement vers ce qui nous attire.

— En effet. Manifestons notre désir d'aller vers la ville que nous avons aperçue, puisque c'était notre but premier.

À ces mots, le sentier change d'orientation et révèle, à son extrémité, les tours de la ville.

Ils sortent du bois sans avoir à faire un pas, toujours flottant au ras du sol. Ils débouchent dans une plaine vallonnée. La ville s'approche rapidement. Elle est d'une fascinante beauté avec ses tours de pierre sculptée et ses façades à colombages.

Une clameur retentit.

Une foule, glissant comme eux près du sol, commence à sortir.

Les gens font de grands moulinets de bras.

— Ils ne sont pas armés, j'espère !

Immédiatement, leur progression arrête.

— Nous venons de manquer d'enthousiasme, Jo. Regarde, eux aussi sont arrêtés. Je ne crois pas qu'ils soient agressifs. Vois comme ils sourient. Faisons-leur des signes amicaux.

Le déplacement reprend de part et d'autre. Le contact s'établit. Les visiteurs sont entourés de gens jeunes et joyeux. Et complètement nus.

— Que les vents vous soient favorables !
lancent-ils.

— Qu'ils vous soient favorables aussi,
répond Jonathan, qui commence à s'habituer à la politesse des sphères.

Un tonnerre d'applaudissements souligne ses propos.

Un jeune homme blond à la gracieuse
silhouette leur prend les mains et les
dévisage, charmeur :

— Les visiteurs sont notre joie.
Accompagnez-nous en ville. Vous nous
raconterez vos aventures.

Une fillette rousse au visage moucheté
de taches de son leur demande :

— Pourquoi êtes-vous habillés ? Nous
ne sommes pas sur Terre.

— Vous ne portez jamais de vêtements ?
s'étonne Élyse.

Un formidable éclat de rire accueille sa
question.

Une ravissante adolescente leur répond :

— Nous habiller ? Jamais ! Nous sommes
si beaux ! Ce serait un crime de nous cacher.

— Chez nous, on a l'habitude de se
vêtir. Mais si vous le désirez, nous pouvons
faire comme vous.

— Non, restez comme vous êtes. C'est merveilleusement inattendu ! Vous êtes tellement amusants !

— Allons bon ! Ils nous prennent pour des comiques ! maugrée Jonathan.

Aussitôt le brouhaha de la foule se tait. Les visages se figent de surprise.

— Attention à ton enthousiasme, lui chuchote Élyse.

Elle arbore son plus beau sourire :

— Il disait ça pour rire. Nous sommes très contents que nos vêtements vous plaisent.

Un éclat de rire général ranime la bonne humeur de la foule.

On les saisit par les mains et on les entraîne gentiment vers la cité. La foule se retrouve devant un édifice de pierre rose sculptée. Les portes s'ouvrent sur une salle couverte de bas-reliefs. Chose curieuse, les personnages de pierre de ces sculptures sont animés et leur adressent des gestes de bienvenue.

Au fond de la pièce, une femme d'âge mûr les observe. On la devine âgée à son expression, mais le temps n'a rien enlevé à sa beauté.

— Approchez, mes enfants, invite-t-elle avec un sourire engageant. Venez me raconter d'où vous venez.

— Que les vents vous soient favorables, s'empresse de dire Jonathan.

— Qu'ils le soient pour vous aussi. Vous êtes beaux, jeunes voyageurs.

— Vous êtes très belle aussi.

— Mon nom est Borée. Je suis la sphérarque d'Éolia. D'où sortez-vous, pour être déguisés en Zibounous ?

— Nous arrivons de la Terre, en passant par Héronia. Je suis la jeune fille couronnée de flammes annoncée par Ibis Ier. Et Jonathan est l'élu de mon cœur.

Dans toute la salle, un silence étonné accueille ces paroles.

— As-tu le Bâton d'Ambre ? demande la sphérarque.

— Oui, dit Élyse en lui montrant l'objet.

— Apporte-le-moi, que je le vérifie.

Élyse se dirige vers Borée et lui tend l'Ambre. Borée avance la main, puis la retire prestement.

— Je vois à sa chaleur qu'il s'agit bien du sceptre primordial. Éoliens, vous avez devant vous les prophètes annoncés par le grand Ibis Ier. Fêtons-les comme ils le méritent!

La joie du peuple se déchaîne.

Tous veulent voir les prophètes, leur parler, les toucher, les inviter.

— C'est que, s'objecte Élyse, nous voudrions d'abord nous entretenir avec Borée.

Mais la moindre réticence fait tomber la joie de leurs hôtes. Aussitôt le chagrin se peint sur leurs visages désolés. Ils en perdent même un peu de leur beauté.

Leur peine est tellement triste à voir qu'Élyse et Jonathan s'empressent d'accepter les invitations.

Mais cela ne fait que déplacer le problème, car aussitôt qu'ils acceptent l'invitation d'une personne, le même chagrin se manifeste chez toutes les autres.

Voilà le piège de la sphère d'Éolia. Il faut faire plaisir à tout le monde en même temps, ce qu'Élyse et Jonathan ont toujours tenu pour une chose impossible à réaliser.

Autour d'eux apparaissent déjà plusieurs visages renfrognés. Quelques-uns maugréent ouvertement contre l'injustice des visiteurs.

La violence n'est pas loin.

Il faut faire quelque chose de toute urgence si l'on veut rétablir la situation.

Jonathan monte sur une table et réclame le silence à grands cris. Il accompagne sa demande de gestes des deux bras, le tout enjolivé par son plus beau sourire.

Il finit par obtenir un calme relatif et crie à la foule :

— Amis Éoliens, nous vous aimons tous. Mais il nous est impossible de répondre à l'invitation de l'un d'entre vous sans être privés de la joie d'être avec tous les autres.

Les visages s'éclairent quelque peu.

Les Éoliens attendent prudemment la suite.

Jonathan continue :

— J'aimerais que nous puissions trouver un endroit assez vaste pour pouvoir tous nous réunir.

Les Éoliens retrouvent leur sourire. Avec une certaine réserve, toutefois.

Borée, qu'on n'avait plus vue depuis quelques minutes, fend la foule et monte sur la table à côté de Jonathan. Elle lui glisse à l'oreille :

— Bravo ! Tu as compris comment parler à mes gens.

Puis, se tournant vers la foule, elle lance d'une voix forte :

— Je décrète un grand banquet en l'honneur des prophètes. Tout le monde est invité. Au cours du repas, nos visiteurs circuleront pour vous rencontrer sans exception.

Cette fois, une tempête d'ovations souligne les propos de la sphérarque.

19

Pendant que surgissent tables, chaises, vaisselle et ustensiles, Élyse et Jonathan jouissent d'un certain répit. Les Éoliens sont tous occupés par la préparation de la fête. Plusieurs d'entre eux cuisinent dans les flammes d'un immense foyer. D'autres décorent la salle ou disposent les tables dans un ordre harmonieux. Cela permet aux voyageurs d'avoir une conversation privée avec Borée.

— Nous avons pour mission d'unifier les sphères, lui confie Élyse, mais nous disposons de peu d'information sur la manière d'y parvenir.

— Tu possèdes le Bâton d'Ambre, qui est la clé d'entrée dans toutes les sphères.

Et les différents sphérarques te montreront les passages.

— C'est bien joli de passer d'une sphère à l'autre, mais en quoi cela les unifie-t-il ?

— Ce que tu ignores, c'est que le passage que tu as emprunté, grâce à toi, restera désormais ouvert.

— C'était donc ça ! s'écrie Jo. Personne n'a pu nous renseigner sur ce point. Vous voulez dire que les gens vont pouvoir passer librement d'une sphère à l'autre ?

— Exactement.

— Toutes les sphères vont donc se mélanger.

— Pas du tout. Les sphères sont des étapes de raffinement progressif jusqu'à la dernière, Thélème, qui est le monde de l'extase.

— Je vois ça d'ici ! Tout le monde va se précipiter pour accéder immédiatement à la dernière étape.

— Non, c'est impossible. Tous les habitants des sphères savent qu'ils ne pourraient vivre longtemps sur une sphère trop élevée pour leur cheminement personnel sans retomber sur Terre et reprendre leur évolution à zéro. La rétrogradation est la punition de l'impatience. Par ailleurs, nul ne songera à s'en aller vivre dans une sphère inférieure. Tous les Éoliens ont vécu sur Terre avant de se raffiner sur Héronia. Aucun ne désire retourner en arrière.

— Mais alors à quoi servira que nous ouvrions les passages? questionne Jo, qui n'aime pas les actes inutiles.

— Cela permettra aux habitants des sphères d'aller voir plus haut ce qui s'y passe. Ils reviendront ensuite poursuivre leur raffinement sur leur sphère. Cela donnera à beaucoup la stimulation qui leur manque. Ils auront dès lors le désir d'évoluer plus efficacement.

— Mais pourquoi précipiter les choses?

— C'est une question de survie. L'humanité terrestre augmente dans des proportions effarantes. Les sphères s'engorgent parce que leurs habitants manquent d'ambition et se contentent de la petite vie tranquille qu'ils y mènent. Thélème est presque vide. Bientôt les sphères inférieures vont éclater l'une après l'autre si elles n'apprennent pas à se désengorger plus vite par les translations successives de leurs membres.

— Pourquoi ne nous a-t-on pas expliqué tout ça avant notre départ?

— Parce que cette recherche fait partie de votre quête, Jo. Chaque sphérarque est autorisé à soulever pour vous un coin du voile.

— Si c'est si simple, partons tout de suite et ouvrons tous les passages !

— Non, Élyse, ce n'est pas si simple. Il est facile d'entrer dans une sphère, mais beaucoup plus difficile d'en sortir. Ne comprends-tu pas ce qui te retient sur Éolia ?

— Non.

— Vous êtes dans un piège, mes amis. Vous devrez le comprendre et trouver comment y échapper. Telle est l'épreuve à remporter afin que je puisse vous indiquer le passage vers Pyra, le monde de la force.

Entre-temps, les préparatifs du banquet sont terminés et les gens recommencent à s'intéresser à Élyse et Jonathan.

— Jouons le jeu, souffle Jonathan à sa compagne. Nous verrons bien ce qui nous menace.

Borée a entendu la remarque :

— S'informer avant d'agir. Bonne attitude !

Le banquet débute. La sphérarque a installé ses hôtes à ses côtés. Comme promis, ils quittent fréquemment la table pour aller s'entretenir avec l'un ou l'autre. Ils sont chaque fois reçus avec les plus grandes démonstrations d'affection.

Ils profitent de leurs déplacements pour avoir de courts échanges mentaux. Ce qui leur permet de faire le point.

Ces gens les aiment tellement que leur amour les emprisonne.

Il y a plus grave. En obligeant les visiteurs à répondre à leur amour, ils les vident peu à peu de leur énergie. Élyse et Jonathan se sentent de plus en plus fatigués. Or, la sphère suivante, Pyra, est un monde de force. Ceux qui se laissent affaiblir sur Éolia risquent d'être en danger sur Pyra.

— Essayons de résister, propose Jonathan. Aimons-nous encore plus fort que ces gens-là nous aiment. Cela nous redonnera notre force.

Tout en continuant leurs bains de foule, les deux amoureux se tiennent par la main, se touchent, s'embrassent souvent sous le regard ravi de leurs hôtes. La solution est bonne et ils se sentent pénétrés d'un regain d'énergie.

C'est insuffisant, pourtant. L'énergie qu'ils se confèrent l'un à l'autre est largement accaparée par les Éoliens.

Élyse semble avoir une inspiration soudaine :

— Viens avec moi auprès de Borée.

Elle lui fait part de sa trouvaille tout en l'entraînant vers la table d'honneur.

— Borée, nous avons un plan. L'amour de vos sujets est en train de nous étouffer. Nous allons donc leur donner d'autres personnes à aimer.

Un large sourire s'épanouit sur le visage de la sphérarque.

— Tu commences à y voir clair ! Explique-moi ton projet.

— Nous allons retourner sur Héronia et ramener une foule d'invités.

— Hé hé ! Pas bête !

— Nous ramènerons Marabout, Ciconia et tous les Héroniens qui connaissent quelqu'un ayant accompli sa translation vers Éolia.

— Magnifique ! Mais il y a une embûche. En partant tous les deux, vous plongeriez mes gens dans la désolation.

— Mais comment faire, alors ?

— Toi, Élyse, tu dois rester, puisque tu es la jeune fille de la prophétie. Les Éoliens seraient dangereusement déçus de te voir

316

battre en retraite. Ton compagnon peut y aller, lui. Il n'aura qu'à retrouver, dans les dunes, le tourbillon de vent qui vous a amenés. Il le reconduira sur Héronia.

— Soit, puisque je dois rester en otage. Vas-y tout de suite, Jonathan !

— Pas si vite. Un départ imprévu désolerait les gens d'Éolia. Mets-les au courant de ton projet et surtout, obtiens leur approbation.

Aussitôt dit, aussitôt fait.

L'annonce du projet d'Élyse soulève un assourdissant orage d'applaudissements et de cris de joie.

Tandis que Jonathan s'éclipse, tous se pressent autour de la jeune fille pour lui témoigner leur reconnaissance. Ce nouveau bain de foule sans Jonathan entame gravement sa réserve d'énergie.

○

Dès son arrivée sur Héronia, Jonathan se précipite mentalement vers la salle du rapport. Marabout et Ciconia adoptent le projet sans la moindre réticence.

— Puisque le passage est ouvert, annonce Ciconia, je vais pouvoir réaliser ce vieux rêve d'aller faire un petit tour chez nos voisins du dessus.

Le sphérarque lance un appel général. Il convie tous ceux et celles qui ont perdu un être cher ayant accompli sa translation vers Éolia à se présenter sans délai.

Une foule compacte afflue, au point qu'il faut reculer les murs de la salle pour pouvoir y installer tout ce monde.

La perspective d'un voyage vers un autre univers ne fait pas d'emblée l'unanimité. Il y a des craintes. Il faut quelques discours de Marabout et de Ciconia, accompagnés des témoignages de Jonathan, pour gagner un début d'adhésion à l'idée.

Voyant le groupe restreint des candidats, le jeune homme monte sur ses grands chevaux :

— J'en ai assez de toutes vos réticences. Je vous plains de ne pas avoir l'enthousiasme des Éoliens ! On voit bien que les hérons sont passés par ici. Vous êtes comme eux, méfiants envers tout ce qui ne vous ne ressemble pas. Élyse et moi faisons tout le travail pour vous, et voilà comment vous nous remerciez !

C'est alors que Nautonier s'avance d'un pas, l'air penaud.

— C'est simplement parce que nous avons peur, bredouille-t-il.

— C'est d'ailleurs pour ça que vous stagnez depuis des millénaires sur Héronia. Quand vous aurez vu ce qui vous attend dans le monde suivant, vous voudrez tous obtenir votre translation.

— Moi, j'y vais, répond le garde. J'avais ma petite amie terrestre près de moi. Mais elle m'a quitté pour Éolia. J'aimerais bien la revoir.

— Moi, je voudrais embrasser mes parents, dit une fillette.

Un par un, les candidats se manifestent. On finit par convaincre jusqu'aux plus craintifs.

Marabout ordonne le déplacement massif vers les marais de marbre.

La chaloupe de Nautonier, dont les matelots ont été prévenus par leur chef, s'est métamorphosée en un fier vaisseau dans lequel on parvient à caser tous les voyageurs.

Le navire accoste à proximité du gouffre.

— J'y vais le premier, proclame Jonathan.

Il saute.

Marabout, tenant Ciconia par la main, exhorte une dernière fois son peuple :

— Nous allons vous montrer qu'un vrai Héronien n'a pas peur d'une petite cataracte !

Et le couple plonge à son tour.

Nautonier s'avance :

— Si le sphérarque y va, moi aussi !

Il disparaît, suivi de quelques gardes aquatiques.

Quand plus de la moitié des voyageurs sont partis, la crainte d'être en reste décide les autres à les imiter.

Quelques instants plus tard, tout le groupe se retrouve dans les dunes d'Éolia.

— Nous sommes attendus dans la ville que vous voyez là-bas, dit Jonathan. Il suffit de vouloir vous y rendre et vous allez glisser vers les Éoliens. On ne marche pas, sur Éolia. Et aussi, il faut que je vous prévienne : on ne s'y habille pas non plus, mais vous n'êtes pas obligés de les imiter.

Le comité d'accueil, comme prévu, sort de la cité.

Cette fois, Élyse est à sa tête, les traits tirés par la fatigue.

— Tu as l'air moins en forme que quand je t'ai quittée.

— Oui, ils m'ont siphonné mon énergie.

La foule des Héroniens se mêle à celle des Éoliens.

Partout ont lieu des retrouvailles émouvantes et des rencontres joyeuses.

Près de Marabout, Nautonier embrasse sa petite amie avec effusion, un peu gêné, cependant, d'étreindre son corps nu devant tout le monde.

Mais on s'habitue vite à ces choses-là…

La foule rentre.

Les Éoliens reculent les murs et ajoutent des tables.

Le banquet reprend de plus belle.

Élyse et Jonathan rejoignent leur place à côté de la sphérarque d'Éolia.

— Nous sommes moins sollicités, remarque Élyse. Heureusement; je reprends des forces en recevant l'amour de Jo au lieu de distribuer tout le mien à vos sujets.

— Les Éoliens sont de grands enfants, admet Borée. Ils se consolent vite de la perte d'un cadeau quand on leur offre un cadeau plus gros que le premier.

— Le moment me semble bien choisi pour prendre congé, propose Jonathan.

— Je n'y vois aucune objection. Puisque vous avez remporté l'épreuve qui vous retenait ici, je vais vous indiquer la sortie. Mais avant cela, prenez les deux sacs qui sont à vos pieds sous la table. Ils contiennent des vivres et de l'eau.

— Pourquoi ? Le voyage sera long ?

— Tu verras, Jo. Prends aussi ce talisman, Élyse. Tu ne l'ouvriras que quand l'épreuve sera insurmontable.

Elle dépose dans la main de la jeune fille une petite capsule suspendue à une chaînette. Élyse remercie et se l'attache autour du cou.

Puis Borée pousse doucement ses hôtes vers le fond de la pièce.

— Placez-vous face à la cheminée et entrez carrément dans les flammes. Bon voyage !

Le foyer est tellement grand qu'on peut y pénétrer sans se baisser. Élyse et Jonathan, qui ont appris à ne plus redouter les passages, entrent à grands pas dans le feu.

Ils ont beau se dire que ces flammes-là sont imaginaires, la chaleur leur coupe le souffle. C'est à la limite du supportable.

— Je croyais que ce feu était mental comme tout le reste, halète Jonathan.

— Attention, Jo, il ne faut pas douter, sinon nous allons griller, je le sens. Soyons forts et continuons à marcher. Avec entrain. Joyeusement, même.

— D'accord, approuve-t-il. Je crois que tu as le bon truc. Depuis que tu as dit ça, c'est un peu moins infernal. Obligeons-nous à être heureux de notre sort. Oh! Regarde! Tes cheveux ont pris feu.

— C'est normal, répond-elle en s'efforçant d'en rire. Ne suis-je pas la *jeune fille couronnée de flammes*?

— Mais oui! Où avais-je la tête? En attendant, si les saucisses à hot dog avaient notre courage, on les mangerait plus souvent crues que cuites!

Ils éclatent de rire, sans avoir à s'y contraindre, cette fois.

— Bienvenue sur Pyra, braves voyageurs, proclame une voix grave devant eux.

— Où êtes-vous? demande Jonathan. Je ne vous vois pas.

— Approchez encore, vos yeux vont s'accoutumer. C'est vrai qu'il y a un peu de fumée, ici!

Il avancent et tombent nez à nez avec un curieux comité d'accueil. Ils sont six, trois hommes et trois femmes, vêtus de longues robes rouges. Leurs cheveux, comme ceux d'Élyse, sont en flammes, ce qui n'a pas l'air de les incommoder.

— Vous êtes intrépides, jeunes visiteurs, félicite le plus vieux des Pyrites. Nous vous avons entendus rire dans les flammes et cette force de caractère nous a fort réjouis.

— Je suppose que l'air climatisé est en panne, ici, plaisante Jonathan.

— Oui, ajoute Élyse, pourriez-vous ouvrir une fenêtre ?

Les six Pyrites rient de bon cœur aux facéties de leurs visiteurs.

— Venez vous asseoir, les invite le vieil homme. Et racontez-nous vos aventures. Vous êtes les premiers que nous ayons vu franchir la porte de feu le sourire aux lèvres. Vous devez être des personnages bien particuliers.

— Je me nomme Élyse, et voici Jonathan.

— Soyez les bienvenus. Je suis Shaïtan, le sphérarque de Pyra.

— Shaïtan ? Votre nom me dit quelque chose.

— C'est fort possible, petite. C'est un nom zibounou, d'origine arabe. Les tiens le prononcent parfois Satan.

— Satan ? Mais alors vous êtes le Diable en personne !

Les six Pyrites s'esclaffent.

— Vous êtes vraiment impayables ! rigole Shaïtan. Il y a longtemps que je n'avais autant ri. Mais prenez place et faisons connaissance.

On s'approche d'une table basse entourée de huit fauteuils dont l'aspect serait accueillant s'ils n'étaient en flammes.

— Ne craignez rien, invite le sphérarque. Ils brûlent mais ne vous grilleront pas. Nous savons recevoir, sur Pyra.

Élyse et Jonathan, s'attendant à une nouvelle épreuve, s'enfoncent sans hésitations dans les sièges moelleux.

— Très confortables, constatent-ils.

— Eh oui, mes amis ! Le Diable est un bon vivant ; il aime son confort.

— Mais si vous êtes le Diable, nous sommes donc en enfer ? s'inquiète Jonathan.

Nouvelle hilarité.

— Je vais te répondre, jeune homme, mais cela nécessite quelques mises au point.

— Nous vous écoutons.

— Sachez d'abord que les Zibounous, dans leur subconscient, portent la notion de l'existence des sphères. Cette notion, cependant, est tellement floue qu'ils en ont les interprétations les plus fantaisistes. Ainsi, ils ont vaguement conscience qu'il existe quelque part une sphère de feu. Certains ont été jusqu'à imaginer que Pyra était un monde de souffrance destiné à torturer éternellement les mauvais Zibounous. «L'enfer», comme ils disent. Par la même occasion, ils ont fait de Shaïtan le génie du mal, par opposition à leur dieu, symbole du bien.

— Vous n'êtes donc pas le Diable?

— Si, mais je ne corresponds pas au portrait qu'on a fait de moi. Le bien et le mal sont des notions simplistes qui n'ont pas cours ici. Et moi, je ne suis ni bon ni mauvais. Je suis simplement à ma place, et j'accomplis mon travail, qui consiste à assurer le bon fonctionnement de ma sphère.

— Sur Terre, quelqu'un croyait qu'Élyse était possédée du Démon, raconte Jonathan. Il lui a fait subir un exorcisme.

Hilarité générale chez les Pyrites.

— Ça existe encore, ces vieilles foutaises? rit Shaïtan en essuyant une larme de joie qui grésille au coin de son œil. Mais, ma pauvre Élyse, je suis bien trop occupé pour avoir le temps d'aller taquiner les Zibounous ! Je ne me mêle pas des affaires de la Terre, moi. Remarque, ça vaudrait peut-être le coup d'aller mettre un peu d'ordre là-bas. Quand je pense que ces rigolos-là n'ont jamais réussi à s'élire un sphérarque !

— Certains ont bien essayé d'imposer leur loi...

— Oui, je sais, Jo. J'ai reçu les comptes rendus. Nous avons bien ri en lisant les aventures navrantes et tout aussi variées d'Alexandre le Grand, de Jules César, de Napoléon, de George Bush... Pauvres fous ! Et le plus drôle, c'est qu'après chaque gâchis, il y a toujours un autre illuminé pour prendre la relève !

Les Pyrites se tapent longuement sur les cuisses en se remémorant toutes ces anecdotes croustillantes.

— Allons, un peu de sérieux, reprend Shaïtan avec un dernier hoquet, expliquez-nous plutôt d'où vient cette force merveilleuse qui est en vous. D'habitude, les translateurs arrivent ici à moitié carbonisés. Il leur faut parfois une ou deux éternités pour s'en remettre. Certains, même, sortent du foyer à ce point réduits en cendres qu'on est obligés de les renvoyer sur Terre à la case départ !

— C'est peut-être parce que nous ne sommes pas des translateurs ordinaires, révèle Jonathan. Élyse est la jeune fille couronnée de flammes de la prophétie d'Ibis Ier. Et je suis l'élu de son cœur.

— Si tu dis vrai, Élyse doit détenir le Bâton d'Ambre. Donne-le-moi, que je vérifie.

Élyse fouille dans son sac et en extrait l'objet demandé. Elle y trouve aussi une bouteille d'eau. Elle dépose le Bâton sur la table.

— Vous permettez que je me rafraîchisse ? Votre fournaise me donne soif.

Les six Pyrites regardent l'Ambre, fascinés, pendant que les voyageurs se désaltèrent.

Le Bâton, loin de se consumer dans les flammes du meuble, commence à s'y incruster. Une odeur de bois brûlé s'élève, en même temps qu'une épaisse fumée.

Le Bâton passe à travers son support et Élyse le rattrape avant qu'il ne tombe sur le sol.

— Je te crois, dit Shaïtan, l'air effaré. Un objet pouvant allumer un feu sur Pyra ne peut être que le Bâton d'Ibis Ier. Et celle qui peut le tenir en mains est à coup sûr la prophétesse.

De nouvelles flammes, plus ardentes que celles qui règnent partout, commencent à réduire la table en braises.

— Malheureuse ! Sans le vouloir, tu as mis le feu au feu et rien ne pourra l'éteindre. Sauvez-vous vite ! Tout va se consumer sur Pyra !

Tous se sont levés pour s'écarter du brasier qui dégage une chaleur intolérable.

— Partez, crie Shaïtan. La sphère va vraiment brûler. Ce sera comme l'enfer des Zibounous. Nous allons tous périr !

— Mais nous ne connaissons pas le passage ! Et puis, nous ne pouvons pas vous laisser comme ça ! Il doit bien y avoir un moyen d'éteindre cet incendie !

— Seule une forte tempête d'air frais y parviendrait. Mais cela n'existe pas sur Pyra. Nous sommes perdus.

Jo se souvient alors qu'il possède le pouvoir de commander à l'air.

Sans hésiter, il déclenche un violent tourbillon sur le meuble en feu. Mais cet air est très chaud. Il ne fait qu'attiser les flammes qui commencent à consumer les fauteuils et le plancher.

— Élyse, le Talisman !

— Compris, Jo !

Elle saisit la capsule qu'elle porte en sautoir, la débouche et la tourne vers le sinistre.

Un vent glacial, bien plus fort que celui déclenché par Jonathan, en jaillit. L'effet de recul est si puissant que le jeune homme est obligé de se placer derrière son amie pour l'empêcher d'être projetée contre un mur de flammes.

Ils tiennent bon.

Après quelques instants d'ouragan polaire, les choses se calment brusquement. Comme si la capsule était vide.

Élyse la referme et se la remet au cou.

Les cendres de l'incendie sont éteintes. Plus aucune fumée ne s'en échappe. Elles sont couvertes d'une couche de givre.

Le sphérarque, prostré, essaie de parler mais n'arrive qu'à émettre des bruits de gorge confus.

— Qu'est-ce qui vous arrive, Shaïtan ?

— Je crois qu'il a pris froid, explique une des Pyrites. Il faut l'emmener dans une autre pièce où règne une chaleur acceptable.

— Pour une fois qu'il faisait frais ! regrette Jonathan.

On emmène le souverain, on l'étend sur un bon divan de flammes.

Il reprend peu à peu ses couleurs.

— Vous êtes de satanés galopins ! bredouille-t-il d'une voix faible et enrouée, avec un pâle sourire. Mettre le feu à Pyra, voilà un exploit que je ne croyais pas possible. Et l'éteindre est encore plus prodigieux !

— Désolés que ça vous ait causé du tort.

— Bah ! Je m'en remettrai ! Je suis un bon diable et ce n'est pas un peu d'air frais qui aura raison de moi.

— Contente de l'apprendre. Excusez-nous quand même.

— Dis-moi plutôt quelle était cette arme inconnue que tu as utilisée pour combattre l'incendie.

— Un talisman que m'a donné la sphérarque d'Éolia.

— Sacrée Borée ! En voilà une qui a plus d'un tour dans son sac ! Embrassez-la de ma part quand vous repasserez par là. Elle était ma petite amie sur Héronia, il y a cinq ou six siècles.

— Avant de penser au retour, Shaïtan, nous devons compléter notre mission. Pour cela, il faut que vous nous indiquiez le passage.

— Je mettrai tout en œuvre pour que vous puissiez partir au plus tôt. Mes rhumatismes me disent qu'il va neiger si vous restez trop longtemps !

20

— Il faudra que je passe commande d'une caisse de talismans à Borée, des fois que d'autres farceurs viendraient mettre le feu chez moi ! plaisante Shaïtan après avoir recouvré ses sens.

— Ça m'étonnerait que ça se produise, rit Élyse. Il n'y a qu'un Bâton d'Ambre, que je sache !

— On ne sait jamais, avec tout ce que les Zibounous inventent pour embêter le monde.

— Et le passage, Shaïtan ?

— J'y arrive, petite. Comme tu as pu le remarquer, chaque sphère comporte une épreuve à réussir pour pouvoir en sortir. Notre sphère de feu, qui est le monde de la force, demande, comme il se doit, beaucoup de force, non seulement pour y entrer, mais pour y demeurer. Et aussi pour en sortir. La plupart ne franchissent pas l'épreuve de la cheminée de Borée et doivent retourner se raffiner dans une sphère inférieure. Et parmi ceux qui y arrivent, au moins la moitié ne tiennent pas le coup et doivent reculer eux aussi.

— Vous ne devez pas être nombreux, sur Pyra, conclut Jonathan.

— À peine quelques centaines, en effet.

— Ainsi, votre enfer est aussi le purgatoire.

— Si l'on veut. Mais c'est un purgatoire où l'on est libre de rester ou de s'en retourner d'où l'on vient.

— Cela y rend le séjour encore plus difficile.

— Bien entendu. Les gens qui arrivent ici s'imaginent que c'est une question de volonté, qu'il suffit d'endurer la chaleur quelques jours, le temps de s'y habituer. Quelle erreur !

— Je vois, coupe Élyse. La vraie force consiste non pas à endurer la chaleur, mais à la repousser.

— C'est à peu près ça, oui. Il ne suffit pas de se révéler plus fort que le feu, ce qui est à la portée du premier venu, mais encore de devenir plus fort que soi-même. Plus fort que sa propre force…

— Curieuse formule.

— Le charabia recommence, maugrée Jonathan.

Shaïtan a entendu la remarque et poursuit :

— Mon rôle consiste à vous décrire le reste de votre quête. La sphère voisine, Électron, représente la sagesse, car l'ambre a inspiré la première découverte scientifique aux humains : l'électricité. Il leur a fallu des siècles de patience et d'expériences pour apprendre à l'utiliser. C'est aussi leur découverte la plus pacifique, puisqu'elle est le fruit d'une démarche sage. La sphère suivante est Phôs, ce qui veut dire «lumière» en grec. Elle vous invitera à découvrir la lumière par excellence : la connaissance.

— En attendant, pour y parvenir, il nous faut d'abord partir d'ici.

— Tu as raison, Jonathan, vous partirez quand vous serez à l'aise sur Pyra, comme nous le sommes.

— Très bien, nous allons donc apprivoiser la chaleur.

— Nous vous laissons. Appelez-nous quand vous serez prêts.

Les six Pyrites se dématérialisent.

Élyse regarde son ami d'un air lourd de reproches.

— Tu ne crois pas que tu es allé un peu loin, cette fois ? Apprivoiser la chaleur ! Tu en as de bonnes ! Et on peut savoir comment tu réaliseras ce prodige ?

— En devenant plus forts que nous-mêmes, ce qui est l'épreuve suprême de Pyra. Rappelle-toi, quand nous avons traversé la cheminée de Borée. Nous nous sommes moqués du feu pour garder le moral, et les flammes nous ont paru moins cruelles. Et regarde les Pyrites : ce sont de bons vivants. Ils aiment rire, ils ont de l'humour. C'est cela qui leur rend la sphère supportable. Ils ont été capables de rire de leur souffrance, et leur souffrance a reculé. Et maintenant ils continuent à rire pour la tenir à distance.

— Tu sais ce qu'on va faire, Jo ? Nous allons déballer nos provisions et faire un joyeux pique-nique.

— Au moins nous n'aurons pas besoin de faire réchauffer notre lunch !

— L'apéritif, d'abord. Que dirais-tu d'une délicieuse gorgée d'eau bouillante ?

De plaisanterie en plaisanterie, ils prennent le repas le plus drôle de toute leur vie, sans cesse interrompu par des blagues et des fous rires. Quand ils en arrivent aux dernières bouchées, il règne dans la pièce une agréable fraîcheur.

Il est temps de rappeler les Pyrites.

— Shaïtan ! Vous pouvez venir nous rejoindre ! Mettez-vous un lainage ; vous pourriez vous enrhumer.

Les Pyrites se matérialisent en frissonnant.

— Il fait glacial, ici, constate le sphérarque.

— Vous nous excuserez, le chauffage est en panne, raille Jonathan.

— Eh bien ! Mes enfants, on peut dire que vous avez remporté l'épreuve haut la main ! Quelle force, mon Dieu, quelle force !

— Ça me fait tout drôle d'entendre le Diable dire « mon Dieu » !

— Arrête de nous faire rire, fiston, sinon on va geler, ici. De quoi aurions-nous l'air, s'il commençait à faire froid en enfer ?

— Il suffit de nous indiquer la sortie. On refermera bien la porte pour éviter les courants d'air.

— Cesse de plaisanter. Ce froid devient très désagréable.

— Allons, Satan, un peu de cran, que Diable !

— Assez ! dit le sphérarque en riant. Je capitule. La sortie, c'est votre détermination elle-même. Il vous suffit de vouloir être sur Électron, et aussitôt vous y serez.

Élyse et Jonathan n'ont même pas à se consulter.

L'instant d'après, ils se retrouvent dans un monde aux formes douces et à la couleur de miel.

Le paysage pourrait être terrestre, si ce n'est que les couleurs vont du blanc au brun foncé en passant par toutes les nuances du jaune et du beige.

Il y a des arbres bistres au feuillage tabac, poussant dans un sol sépia. Les rochers ont toutes les teintes de l'ocre et la transparence de cristaux. Le ciel est d'un blanc immaculé, ponctué de nuages jaunâtres. Toutes les couleurs rappellent celle de l'Ambre qui a jadis apporté la sagesse aux humains.

Ce singulier camaïeu est en somme assez joli.

Mais il n'y a personne pour les accueillir.

— Ohé ! Il y a quelqu'un ?

Pas de réponse.

— D'habitude, ils sont plus pressés de nous recevoir, remarque Jonathan.

— Peut-être ne sommes-nous pas assez sages pour qu'ils nous reçoivent.

— Peut-être, mais comment le devenir ?

— En tout premier lieu, en ne doutant pas de nous. Si Ibis Ier nous a désignés pour accomplir sa prophétie, c'est parce que nous possédons en nous tout ce qu'il faut pour le faire.

— Ce doit être ça, la sagesse. Savoir ce qu'il y a en nous et l'employer à bon escient.

— Sans doute, oui. La première sagesse, à mon avis, est de rester ici, de nous installer et d'attendre qu'un indice nous permette d'avancer.

— C'est vrai. Il ne serait pas prudent de partir explorer toute une sphère sans même savoir ce que nous cherchons.

— D'autant plus que cela risquerait de nous épuiser très vite. Nous n'avons pas été prévoyants; nous avons dévoré toutes nos provisions sur Pyra.

— Ayons confiance, Élyse. Un monde de sagesse doit sûrement avoir celle de ne pas laisser mourir de faim ses visiteurs. Attendons et économisons nos forces.

— Oui, mais continuons à penser. Ce n'est pas en restant passifs que nous découvrirons la sortie d'Électron.

Les voyageurs s'installent. De jolies pierres aux contours arrondis leur permettent de s'asseoir. Un ruisseau limpide coule à côté d'eux. La température est agréable. On ne voit pas d'oiseaux, mais on en entend chanter dans les arbres d'un bosquet.

— Savourons ce moment de détente, conseille Élyse. C'est la première fois qu'on peut prendre un peu de repos depuis qu'on a quitté la Terre.

— Que c'est loin, la Terre !

— Je la retrouverai avec plaisir quand nous aurons accompli notre mission.

— Et moi, donc ! Tu sais de quoi j'ai le plus envie ? D'une bonne petite partie de pêche avec Horace sur la Rivière-aux-Souches.

— Moi, je rêve de ramener Marc à la maison et de partager la joie de nos parents.

— Tu ne trouves pas que nous devenons très sages, depuis un moment ?

Mais Élyse n'écoute plus. Son regard est fixé au loin.

— Tu as vu quelque chose ?

— Oui, je crois bien. Une espèce de sentier.

— Où ça ?

— Là-bas, droit devant, au pied des montagnes.

— On va voir ?

— Attention, Jo, restons sages ! Si c'est bien un sentier, il doit mener quelque part. Et il sera encore là un peu plus tard. Pourquoi ne pas profiter de notre repos avant d'y aller ?

— Tu as raison. D'ailleurs c'est la première fois que nous sommes vraiment seuls depuis notre première nuit d'amour. Alors profitons du calme d'Électron pour vivre notre lune de miel...

Ils s'étendent sur l'herbe rousse au bord du ruisseau.

Ils se détendent merveilleusement.

Ils savent que rien ne presse, parce qu'ils trouveront.

Ils jouissent de ce moment tant attendu d'intimité.

Ils font l'amour avec une infinie tendresse.

Puis ils s'endorment enlacés.

À leur réveil, ils sont émerveillés par le calme de cette nature harmonieuse et douce.

Ils boivent un peu d'eau à la source et se mettent en route.

C'est bien un chemin qui s'ouvre au pied de la montagne. Les amoureux, se tenant par la main, l'empruntent sans crainte. La pente est faible et ils la gravissent sans fatigue.

Bientôt ils parviennent à un carrefour. Le sentier se sépare et prend deux directions. À gauche, c'est la pente raide, sinuant entre des rochers aux arêtes vives. À droite, la pente est douce et le chemin bien dégagé.

— Ça m'a tout l'air d'être une épreuve, estime Élyse.

— Un chemin facile et un autre plus difficile. Tout nous invite à aller à droite. Allons donc à gauche, puisque nous avons la force d'affronter la difficulté.

— Non, Jo. Ayons la sagesse de ne pas présumer de nos forces. Allons à droite.

— D'accord, si tu le dis.

Ils se remettent en route. Jonathan, pris d'un doute, se retourne. Le sentier escarpé a disparu. Un peu plus loin, ils rencontrent un nouveau carrefour. Cette fois il y a, à gauche, un sentier très difficile et, à droite, un autre chemin qui mène à une cataracte qu'on ne voit pas mais dont on entend le grondement. À gauche, la difficulté, à droite, le danger.

— Prenons à droite, comme la première fois, conseille Élyse, puisque cela nous a réussi.

Ils se mettent en chemin et… se retrouvent au premier carrefour.

— On dirait que nous avons fait le mauvais choix.

— Merci de ne pas me le reprocher.

— Je n'ai aucune raison de le faire ; j'aurais peut-être agi comme toi. Analysons plutôt l'erreur commise.

— À mon avis, il ne faut pas répéter une décision uniquement parce qu'elle s'est avérée bonne une première fois.

Ils sont à nouveau transportés au deuxième carrefour.

Mais le chemin de droite a disparu.

— Jo, prenons le temps de nous asseoir et de réfléchir à tout ça.

— D'accord, je commence. Nous avons une épreuve de sagesse à remporter, nous avons droit à l'erreur et nous en commettrons sans doute d'autres.

— La sagesse, ici, consiste à ne pas se croire infaillibles.

— Et à ne pas se décourager.

Ils continuent.

De carrefour en carrefour et d'essai en erreur, ils cheminent plusieurs heures.

La fatigue et la faim commencent à les ralentir.

Il faut prendre une décision.

— La sagesse, c'est aussi de savoir s'arrêter, Jo. On ne peut pas continuer comme ça, sans même savoir quel but nous poursuivons ni la distance qu'il nous reste à parcourir.

— Reposons-nous un moment, et pensons sainement. Quelle est la meilleure décision à prendre? Se dépêcher d'arriver avant d'être morts de faim ou nous reposer le ventre creux?

— Abordons les problèmes dans l'ordre. Le plus urgent est celui du ravitaillement. Si le trajet est encore long, nous ne pourrons le faire sans nourriture. Or, je ne vois rien à manger autour de nous.

— Pesons nos atouts, alors. Nous avons des pouvoirs, Élyse, ne l'oublions pas.

Qu'aurions-nous fait si nous avions eu faim sur Héronia ?

— Nous aurions utilisé notre menssana pour faire apparaître un repas copieux !

— Exactement ! Eh bien, je veux un bon poulet, rôti à point, avec des patates frites.

— Et un pouding chômeur comme dessert.

— Et une table.

— Et deux chaises.

Ce bref moment d'allégresse est rapidement déçu. Rien n'apparaît, qui puisse satisfaire leur appétit.

— Attention, Élyse, pas de folie. Il s'agit d'apaiser notre faim, pas de nous livrer à la gourmandise !

— Tu as une autre solution ?

— Pourquoi ne pas désirer simplement ne plus avoir faim et garder le ventre léger pour continuer ?

Il leur faut quelques instants pour s'apercevoir que la faim qui les tenaillait a complètement disparu.

— Merveilleux ! dit Jonathan. Un repas de sagesse est sans doute moins savoureux, mais au moins il n'alourdit pas l'estomac.

— On fait la même chose pour la fatigue ?

— Non, Élyse, je ne crois pas que ce soit une bonne idée. Ce serait abuser. Le problème de la fatigue, nous pouvons le régler par nous-mêmes. Continuons encore un peu, et dès que nous trouverons un endroit confortable, nous nous étendrons quelques heures.

Il semble que ce soit une bonne intuition, car un peu plus loin s'offre un petit lopin de terrain plat, planté de moelleux gazon, ombragé par quelques arbres et souligné par une source.

— On dirait que tu avais deviné la présence de cet endroit charmant.

— C'est une conséquence normale de notre attitude. Aide-toi et le Ciel t'aidera, comme on dit. Couchons-nous et dormons. Puis-je te demander d'avoir la sagesse de ne pas trop me faire l'amour, afin de ménager nos forces ?

— Puis-je te demander d'avoir la sagesse de faire un minimum de concessions à notre amour ?

○

Après quelques heures de sommeil, Élyse et Jonathan repartent pleins d'entrain.

Ils savourent l'instant présent, pleinement conscients qu'ils vivent le plus beau des voyages d'amoureux. Ils comprennent maintenant ce que veut dire l'expression «vivre d'amour et d'eau fraîche».

Ils passent ainsi plusieurs jours, sans vraiment tenir compte du temps. En fait, il ne s'agit pas de *jours* puisque le soleil ne se couche jamais. Il n'y a pas de soleil sur Électron.

Ils dorment quand ils ont sommeil et apaisent leur faim quand ils la ressentent. C'est la vie la plus simple qui soit.

Seul le choix des chemins leur rappelle, de temps à autre, qu'ils ont une mission à remplir. Ils ignorent encore ce qu'ils ont à découvrir sur cette sphère, mais n'en éprouvent aucune curiosité.

Pour le moment, le but à atteindre est moins important que la beauté du chemin à parcourir.

Jusqu'à ce qu'ils arrivent devant une grotte.

Le sentier s'y engouffre.

Il n'y a plus de carrefour.

C'est une immense caverne dont les parois semblent faites d'ambre. Dans le plafond, un large orifice laisse passer la lumière du jour. Sous cette colonne de clarté se trouvent deux statues d'ambre.

Élyse et Jonathan s'approchent : ils reconnaissent les personnages représentés par les deux œuvres d'art.

Les statues sont celles de Noûs et Nochée.

La surprise est grande. La joie aussi.

Élyse et Jonathan s'attendaient plutôt à rencontrer des êtres de chair et de sang, mais les visages de leurs amis constituent la plus belle récompense à leur persévérance.

— Noûs et Nochée ! s'écrie Élyse. Je savais que nous allions les retrouver.

— Ce ne sont que des statues. Où sont-ils vraiment ?

— Ils ne doivent pas être loin. Ils avaient promis qu'ils veilleraient sur nous tout au long de notre voyage.

— Appelons-les, je suis sûr qu'ils peuvent nous entendre.

— Noûs ! Nochée ! Où êtes-vous ? Vous pouvez vous montrer, maintenant.

— Venez nous indiquer la sortie.

Les Spirites ne répondent pas, mais leurs statues s'estompent.

La caverne à son tour disparaît, puis le paysage tout entier.

Bientôt, il ne reste plus rien de la sphère d'Électron.

21

Élyse et Jonathan flottent quelques instants dans le néant.

Puis une autre sphère se concrétise sous leurs pieds.

Un monde minéral, fait de montagnes, de rochers et de terre. Un monde de gris, sans aucune couleur, baigné d'une intense lumière.

— Ce doit être Phôs, dit Élyse. La sphère de lumière. Le monde de la connaissance.

— Pas très coloré, comme site touristique.

— Non, et ce qui m'ennuie le plus, c'est que je ne vois pas d'eau.

— On trouvera bien le moyen d'en faire couler.

— Soyons efficaces. Sur Électron, c'est par la sagesse que nous avons obtenu ce que nous voulions. Phôs est un monde de connaissance. C'est donc par la connaissance que nous pourrons y vivre.

— Essayons avec l'eau, Élyse. En connaissant l'eau, nous obtiendrons de l'eau.

— D'accord. Qu'est-ce qu'il y a à savoir sur l'eau ? L'eau est de l'oxyde d'hydrogène, les chimistes l'écrivent H_2O, elle est le constituant essentiel des êtres vivants et occupe les trois quarts de la surface de la Terre...

— Un peu scolaire, tout ça. Nous ne sommes pas en classe, mais sur Phôs. Il faut viser plus haut.

— Désolée. En passant, ça commence à me donner soif, de parler d'eau.

— Attends ! J'ai une idée. Tu as dit ce que tu savais. Mais Phôs n'est pas un monde de savoir. C'est un monde de connaissance.

— Quelle est la différence ?

— Je ne sais pas encore. La connaissance, c'est certainement plus élevé, plus profond, plus intime.

— Regarde, Jo ! On voit des couleurs !

Depuis les derniers mots de Jonathan, des nuances de jaune se sont mises à orner la grisaille du paysage.

— Ne nous laissons pas distraire. Je suis sûre que cette couleur est un encouragement. Elle récompense une bonne réponse. Qu'est-ce que tu disais à propos de la connaissance?

— Je disais: plus élevé, plus profond, plus intime.

— Plus intime. Ça, ça me convient. Je crois que la connaissance est plus intime que le simple savoir.

En un instant, le rouge apparaît autour d'eux. Par endroits, il se mélange au jaune pour donner toutes les teintes d'orange.

— Tu avais raison pour les couleurs, Élyse. Nous sommes sur la bonne voie. Continue!

Élyse n'a plus envie de parler. Elle s'assoit sur une grosse pierre et ferme les yeux. Jonathan respecte sa méditation. Lui-même reprend le problème à la base.

Comment avoir une connaissance intime de l'eau? se demande-t-il. *J'aimerais être dans l'eau. J'aimerais aussi qu'il y ait de l'eau dans moi. J'aime tant l'eau que je voudrais par moments devenir eau.*

Le ciel, d'un coup, devient bleu. Jonathan, surpris, lève les yeux. Une grosse goutte de pluie lui tombe sur le visage.

Une forte ondée s'abat sur eux et en quelques minutes, des ruisselets se mettent à couler çà et là.

— Je sais ce qu'est la connaissance, Élise. Ce n'est pas d'avoir quelque chose dans la mémoire. C'est de partager l'intimité du sujet de cette connaissance. J'imaginais que j'étais devenu de l'eau.

— Merveilleux! Essaie maintenant de rêver que tu es un hamburger avec beaucoup d'oignons et des frites.

— Tu serais bien fichue de me croquer!

— Tu sais bien que je te mangerais tout cru, tellement je t'aime!

La pluie cesse comme elle a commencé. Les deux amoureux sont surpris de constater que, si elle a créé des cours d'eau, en revanche, elle n'a même pas mouillé leurs vêtements.

En suivant un ruisseau, ils découvrent une petite dépression où l'eau a formé une mare. Ils se déshabillent, se baignent, lavent leurs vêtements.

Ils prennent le temps de savourer ce moment de bien-être. En quittant leur piscine naturelle, ils constatent que leurs habits et leurs corps sont immédiatement secs.

Un peu plus tard, ils parviennent, toujours par la connaissance, à se procurer un repas. Le paysage qui les entoure est maintenant paré de toutes les couleurs de l'arc-en-ciel.

Ils sont même arrivés à y faire apparaître des arbres et des oiseaux.

Élyse et Jonathan sont pleinement heureux. Pour eux, le voyage d'amour qui a commencé sur Électron continue.

Après quelques jours de repos dans ce paradis, leur mission les reprend.

— C'est bien joli, les vacances, mais il va bien falloir continuer.

— D'accord, Élyse, mais je pense que pour pouvoir sortir d'ici, nous allons devoir approfondir notre connaissance.

— Cherchons ce qu'il y a de plus important à connaître.

— À mon avis, le plus important, c'est toi et moi. Notre couple.

Pendant plusieurs heures, ils se questionnent. Ils se disent l'un à l'autre comment ils se perçoivent.

— Tu résumes à toi seule toute le féminité du monde. Tu le fais par ta beauté, ton intelligence, ton caractère, ta douceur. Je pourrais te dire que je t'aime, mais le mot est faible. Je n'existe plus que par l'amour que j'ai pour toi.

— Si je suis belle, c'est que je te ressemble à force de t'aimer. Tu es tout ce que j'attends de la vie : la sérénité, la bonté, le courage, la joie. Et tes caresses sont les plus merveilleux des cadeaux. Je ne suis plus seulement Élyse ; je suis aussi Jonathan. L'amour a fait de nous une seule personne.

Les deux amoureux continuent longtemps cet échange. Grâce à Phôs, ils connaissent leur plus belle expérience de couple.

Mais cela ne leur donne pas encore la manière de sortir de ce monde pour atteindre Thélème, la dernière sphère.

Plusieurs fois, ils appellent Noûs et Nochée à leur secours.

En vain.

Le silence de leurs amis leur apprend qu'ils sont encore loin de la solution.

Leur seul indice est la couleur.

Quand ils s'éloignent du sujet, les teintes pâlissent, virent au pastel. Quand ils sont sur une bonne voie, elles se ravivent.

— Je pense, dit Élyse, que nous sommes sur la bonne voie. Nous connaîtrons parfaitement notre couple quand nous nous connaîtrons parfaitement l'un l'autre.

— Pour nous connaître l'un l'autre il faudrait d'abord que chacun se connaisse lui-même.

Les couleurs viennent de devenir nettement plus marquées.

— Nous progressons, Jo. Mais comment aller plus loin? Te connais-tu vraiment?

— Non, je l'avoue. Je sais surtout comment j'aimerais être.

— Moi aussi. En fait, j'ignore à peu près tout de moi-même.

Cette fois, les couleurs deviennent éclatantes.

Puis le paysage s'efface et les deux voyageurs se retrouvent… sur Gaïa.

Rien n'a changé depuis la dernière fois. Gaïa est toujours ce petit monde aux horizons restreints qui ressemble à s'y méprendre à la Terre.

— C'est ça, Thélème? La sphère dont le nom signifie «perfection»? Ça me paraît banalement terrestre.

— Non, Jo, je suis déjà venue ici, lorsque les Spirites m'ont enlevée. Nous sommes sur Gaïa.

— Avons-nous manqué notre sortie? Avons-vous commis une erreur quelque part?

— Je l'ignore. Il faut le demander à Noûs et Nochée. Allons, montrez-vous, les Spirites! Je sais que vous êtes là!

Les Spirites, cette fois, se matérialisent.

— Quelle joie de vous revoir, mes amis! Avez-vous fait bon voyage?

Élyse les presse de questions:

— Que se passe-t-il? Avons-nous échoué? Allons-nous devoir recommencer? Aurons-nous droit à une seconde chance?

— Tout le monde a droit à une deuxième chance, mais pour vous deux, ce ne sera pas nécessaire.

— Mais si nous avions réussi, nous devrions être sur Thélème, coupe Jonathan. Comment se fait-il que nous arrivions sur Gaïa?

— Vous êtes sur Thélème.

— Vous ne m'aviez pas dit que Thélème et Gaïa étaient la même sphère.

— C'est un peu plus compliqué. Rep
nons dès le début. Vous avez découvert la
clé de la connaissance.

— Ah oui ? Je venais de découvrir que
je ne connaissais rien !

— C'est l'essentiel, explique Nochée. La
première chose à connaître, c'est soi-même.
Et le premier degré de la connaissance,
c'est de savoir qu'on ne connaît rien. Très
peu d'humains y arrivent. La plupart croient
se connaître parce qu'ils se réinventent en
copiant les modèles que leur proposent la
télévision ou leur entourage. Les humains
sont d'incorrigibles groupies.

— Alors on a réussi ?

— Bien sûr !

— Mais Thélème ?

— Thélème est ici et nulle part. Ce n'est
pas une sphère au-dessus des autres, mais
la sphère qui englobe toutes les autres. Vous
étiez en Thélème depuis votre départ.

— Pourquoi Gaïa, alors ?

— Thélème est un monde immatériel.
Gaïa n'est qu'un support fictif, créé à partir
de vos souvenirs et destiné à vous recevoir
sans vous dépayser. Tu as l'air déçue, Élyse.

— Oui, un peu. Nous avons passé trop
vite sur Électron et Phôs, où nous n'avons

rencontré personne. Et nous voilà sur Gaïa, que j'avais déjà visitée, quand je m'attendais au plus merveilleux des mondes. J'ai l'impression d'avoir vécu une belle aventure dont la fin a été escamotée.

— C'est toujours comme ça. Quand on atteint le but, on regrette que l'aventure prenne fin. Rappelez-vous ça, mes enfants, le chemin est toujours plus important que le but à atteindre.

— Si je comprends bien, vous êtes des habitants de Thélème ? intervient Jonathan.

— En effet.

— Et où sont les autres ?

— Il n'y en a pas. Je suis le seul à être parvenu jusqu'ici.

— Le seul ? Mais vous, Nochée, vous existez !

— Noûs et moi ne sommes qu'un être. Je me suis dédoublé pour Élyse et toi. Vous formiez un couple ; il était plus agréable pour vous de discuter avec un autre jeune couple.

La silhouette de Nochée se rapproche de celle de Noûs et s'y confond.

— Voici comment je me serais présenté si Élyse avait été seule.

— Vous êtes merveilleusement beau, mais Jo préférera peut-être la féminité de Nochée.

Le couple se divise à nouveau.

Jonathan sourit. Il trouve cela plus harmonieux ainsi. Mais rien ne lui fera oublier les questions qui le préoccupent :

— J'aimerais en apprendre plus sur Thélème.

— Thélème est la sphère d'esprit, de perfection, d'extase. Les Zibounous en ont une vague notion. Ils l'appellent parfois Nirvana.

— Dans ce cas... nous sommes au paradis !

— Oui, si tu veux. Et tu vas me demander si je suis Dieu.

— Mais... oui !

— On peut m'appeler comme ça si on veut. En fait, je suis le premier humain à être parvenu jusqu'ici, après m'être raffiné de sphère en sphère.

— Ça me fait tout drôle de penser que Dieu, un jour, a été en enfer.

— J'imagine ! Et un jour, le Diable entrera au paradis. Mais tout ça ne sont que des préceptes zibounous. Et un jour, un autre humain arrivera ici et prendra ma place. Où serait la justice divine, si chaque humain n'avait pas sa chance de devenir Dieu? Même le Diable sera un jour Dieu à son tour!

— Et vous, que deviendrez-vous?

— Je recommencerai à zéro. Je me réincarnerai volontairement sur Terre. L'homme devient Dieu et Dieu crée l'homme. C'est ainsi que l'éternité fonctionne.

— Et où est Ibis Ier? Vous m'aviez promis que je le rencontrerais.

— J'ai tenu ma promesse. Je suis Ibis Ier.

— C'est pour ça que vous connaissiez si bien la prophétie! s'écrie Jonathan.

— Hé hé! On ne peut rien te cacher!

— Et comment se fait-il que nous n'ayons pas rencontré les sphérarques d'Électron et de Phôs?

— Parce qu'il n'y a pas de sphérarques sur Électron et sur Phôs.

— Et les habitants de ces deux sphères? Nous ne les avons pas vus non plus.

— Il n'y a pas d'habitants non plus sur Phôs et sur Électron. Personne, à part moi, n'est encore parvenu à franchir l'épreuve de Pyra. Mais à présent que vous avez ouvert tous les passages, les humains vont avoir envie d'aller plus loin.

— Et à présent, qu'allons-nous devenir ?

— Je vais te reprendre mon Bâton d'Ambre dont tu n'auras plus besoin. Ensuite je vais me dépouiller de la personnalité que j'ai prise pour te rencontrer et retourner me plonger dans l'extase du Nirvana. Et vous deux, vous rentrerez chez vous en redescendant de sphère en sphère. Prenez le temps de savourer votre voyage de retour, puisque votre mission est terminée. Vous allez rencontrer des visiteurs. Au besoin, montrez-leur comment vivre sur les sphères. Ils ne pourront pas tous le découvrir par eux-mêmes.

Noûs et Gaïa s'effacent.

Élyse et Jonathan se retrouvent sur Phôs.

Ils ont l'immense plaisir d'y rencontrer Horace.

— Qu'est-ce que vous faites là, Horace ? Vous ne vous occupez plus de votre bief ?

— Si, mais j'ai pris des vacances. Je m'offre un peu de tourisme. Je vais d'ailleurs rebrousser chemin. Je commence à avoir faim. Je n'ai plus rien mangé depuis Éolia.

— Nous nous retrouverons bientôt sur Terre.

Élyse et Jonathan, après ces retrouvailles, reconduisent Horace à la sortie vers Électron.

Puis ils s'accordent quelques jours de vacances dans les merveilleux paysages de Phôs, où les couleurs sont le reflet de la connaissance de ceux qui les admirent.

Bien plus tard ils franchissent à leur tour le passage vers Électron.

Les premières personnes qu'ils y rencontrent sont Marabout et Ciconia.

— Tiens ! Vous aussi, vous faites du tourisme ?

— Oui, c'est la nouvelle mode, répond le sphérarque d'Héronia.

— Nous avons croisé Horace, ajoute Ciconia. Il nous a dit que vous aviez rempli votre mission. Félicitations !

— C'est exact. Et maintenant nous faisons comme tout le monde. Nous nous promenons. Comment va Héronia ? Les hérons ne sont pas revenus ?

— On n'en a plus jamais entendu parler. Bon débarras ! Ils nous empêchaient de respirer, avec leurs préjugés et leur sectarisme. À propos, il faut que je te prévienne. Héronia a changé de nom, puisqu'il n'y a plus de hérons. Notre sphère s'appelle maintenant Thalassa.

— Thalassa? Le nom de la mer dans l'Antiquité, c'est ça? Joli nom pour une sphère d'eau!

— Oui, et comme ça, plus jamais un héron ne se prendra pour le propriétaire de notre sphère.

— Que sont-ils devenus, au fait?

— Ils vivent leur vie de hérons sur Terre. Ils sont heureux de leur condition.

Marabout et Ciconia poursuivent leur voyage, tandis qu'Élyse et Jonathan redescendent sur Pyra. Ils n'éprouvent aucune souffrance à se replonger dans ce monde de flammes.

— Puisqu'il y a des gens sur cette sphère, allons leur rendre visite.

— Bonne idée, Jo. J'ai gardé un bon souvenir de leur accueil.

Ils retrouvent sans peine les bâtiments dans lesquels ils ont déjà séjourné. Une surprise de taille les attend.

Un immense festin se déroule dans la plus grande salle.

— Je croyais qu'il n'y avait pas de nourriture sur Pyra, dit Jonathan.

— Voilà l'explication : regarde qui sert le banquet.

Un peu partout, des Éoliens s'affairent, plus nus que jamais. On les comprend, avec cette chaleur ! Certains cuisinent dans une cheminée monumentale qu'Élyse et Jonathan reconnaissent.

— La cheminée de Borée !

— C'est normal qu'on la retrouve ici, puisqu'elle est la porte entre les deux sphères.

D'autres Éoliens passent les plats avec amour. D'autres encore festoient en compagnie des Pyrites. On aperçoit, ici et là, quelques Héroniens. Quelques Thalassiens, plutôt. L'atmosphère est joyeuse et des éclats de rire fusent d'un peu partout. Un des Éoliens reconnaît les arrivants.

— Élyse ! Jonathan ! Il ne manquait que vous pour que cette fête soit une réussite totale. On va vous faire de la place.

— Volontiers, merci. Mais il faut d'abord que nous allions saluer Shaïtan.

— Tu le trouveras près de la cheminée. Il festoie en compagnie de Borée et d'un autre invité.

Élyse et Jonathan s'approchent du foyer.

La table du sphérarque est de loin la plus animée. On y plaisante, on y rit, on y porte des toasts. Un Éolien et un Pyrite sont montés sur la table et, se tenant par le bras, la coupe à la main, beuglent une chanson gaillarde.

Élyse et Jonathan éclatent de rire.

— Pas très céleste, tout ça ! J'en vois qui vont rouler sous la table, d'ici peu !

— N'oublie pas que nous sommes en enfer, Jo.

À la gauche du sphérarque se trouve Borée. Shaïtan lui a passé un bras autour des épaules et lui roucoule des romances qu'elle écoute, rouge de plaisir.

À la droite du sphérarque se trouve, en joyeuse conversation avec une jolie Éolienne, passablement éméché, le dernier personnage qu'on se serait attendu à trouver ici : le curé de Bois-Rouge, Tancrède Bérubé !

— Tiens ! Qui voilà ? beugle Shaïtan en découvrant les nouveaux venus. Comme ça, ça s'est bien passé, ce petit voyage ?

— Très bien, oui. Notre mission est terminée. Bonjour, Borée.

— Bonjour. Contente de vous revoir. Shaïtan, il faut faire une petite place à ces deux tourtereaux.

Shaïtan se tourne vers sa droite.

— Tancrède ! Arrête de flirter un instant et pousse-toi. Il faut faire de la place à mes amis.

Tancrède tourne la tête. Aperçoit Élyse et Jonathan. Se lève avec un sourire radieux. Vient les embrasser avec chaleur.

— Élyse ! Jonathan ! Quel plaisir de vous retrouver ici ! Vous m'avez beaucoup manqué.

— Vous n'avez pas toujours dit ça, ironise Jonathan.

— J'étais aveugle.

— Je suis vraiment surprise de vous savoir ici, monsieur le curé.

— Il n'y a plus de *monsieur le curé,* ici. Appelle-moi Tancrède.

— Mais comment se fait-il que…

— … je sois en enfer ? C'est très simple. Ce farceur de Noûs a repris sa forme angélique pour m'inviter à faire un petit voyage dans les sphères. L'invitation venant de ce que je prenais pour un ange, je n'ai pas osé refuser. Il m'a désigné Horace pour me guider, et me voilà.

— Mais Horace a déjà visité Phôs.

— Oui, je sais. Il avait hâte de découvrir les autres sphères.

— Et vous ?

— Moi, j'ai trouvé intéressant de prolonger un peu mon séjour ici. Tu ne peux pas savoir à quel point un petit stage en enfer peut être instructif pour un vieux curé. Horace viendra me chercher après le banquet et nous continuerons la visite tous les trois.

— Tous les trois ?

— Oui, j'ai amené mon bedeau, Nez-Rouge.

— Je ne le vois pas.

— Il dort sous la table. Il a un peu trop apprécié le bon vin d'Éolia.

Élyse et Jonathan prennent place à table entre Shaïtan et le curé.

À leur droite, Tancrède s'occupe surtout de sa voisine éolienne. En homme éduqué, il s'efforce de faire de temps en temps la conversation à Élyse.

— Vous avez l'air de bien l'aimer, cette dame ! remarque-t-elle. Vous me surprenez.

— J'ai compris mon erreur passée, vois-tu. Je croyais combattre le péché. Mais le vrai péché, c'est de se sentir coupable quand on vit des choses agréables. Gâcher le plaisir, oui, le voilà, le vrai péché !

— Et qu'allez-vous faire en rentrant de voyage ?

— Mais je vais continuer ma carrière de curé, bien sûr.

— J'imagine que vous allez changer votre manière de faire la pastorale !

— Compte sur moi ! Au lieu de décourager mes fidèles en leur faisant la morale, je vais remplir mon église de gens joyeux et enthousiastes. Je vais surtout me tourner vers les jeunes. Là, j'ai du retard à rattraper. Tu ne sais pas ? Depuis qu'ils m'ont vu sortir dévêtu de ma maison, le soir de l'incendie, ils m'appellent *Tout-Nu*. Nez-Rouge et Tout-Nu : tu parles d'une belle équipe. Mais tout ça va changer ! Bientôt, les jeunes de Bois-Rouge viendront me voir de leur plein gré. Et ils m'appelleront Tancrède.

— Je vois avec plaisir que vos cheveux ont repoussé.

— Oui, dit le curé en riant. À propos, il faudra que tu m'apprennes le truc des chapeaux qui brûlent. Je me sens d'humeur à jouer des tours.

Borée se tourne vers Jonathan.

— Demande à Élyse de me rendre le talisman que je lui avais prêté. Son emploi serait dangereux sur Terre, et de toute manière, elle sait maîtriser le vent terrestre.

Jonathan récupère la capsule et la remet à Borée.

Il ne peut s'empêcher de faire un commentaire.

— Vous avez l'air de bien vous entendre, vous deux.

Borée se contente de sourire en rougissant.

Shaïtan répond avec un rire gaillard :

— Le vent et le feu ne sont-ils pas faits pour s'attiser ? Eh bien, c'est ce que nous faisons, Borée et moi.

— Espèce de vieux polisson !

— Ne te fâche pas, mon petit courant d'air. Le rôle du Diable n'est-il pas de tenter les humains ?

La fête est fort joyeuse et le repas délicieux, mais Élyse et Jonathan ont maintenant envie de revoir leurs maisons et leurs familles. Ils prennent discrètement congé.

— Vous connaissez la sortie, leur dit Borée en riant de la dernière farce de Shaïtan.

Ils se dirigent vers le foyer et s'y engagent sans hésitation.

Sur Éolia aussi, bien des choses ont changé. Les Éoliens sont très affairés, car il y a des visiteurs partout. Des Pyrites, des Thalassiens et même quelques Terriens frontaliers.

— Qu'est-ce qu'on fait? demande Jonathan. On reste un peu?

— Ils sont tous tellement occupés. Et Borée est en visite chez les voisins. Si nous allions directement retrouver Héronia?

— Thalassa, tu veux dire.

— Oui, c'est vrai, il faut que je m'habitue. C'est déjà pas mal d'avoir parcouru sept sphères. Si en plus elles se mettent à changer de nom, ma tête va éclater!

— Moi aussi, Élyse, j'ai envie de redescendre. La Terre me manque. Allons discrètement jusqu'aux dunes et prenons le passage vers Thalassa. Nous y attendrons Horace, Tancrède et Nez-Rouge, puis nous rentrerons chez nous dans la chaloupe.

— Tu crois que nous avons encore besoin de la chaloupe d'Horace?

— Je ne sais pas, j'ai oublié de lui demander.

— Tans pis. Nous en profiterons pour faire ce que nous projetions la dernière fois: visiter Thalassa.

○

Le tourbillon de vent dans les dunes, le gouffre de Thalassa, le bateau de Nautonier sur le marais de marbre, tout cela n'offre plus aucune surprise.

Élyse et Jonathan se font déposer au bord du canal.

— Par où commence-t-on ?

— Si on allait en salle du rapport ? Nous pourrions essayer d'y trouver Marc. Ce serait agréable de faire la promenade avec lui.

Non seulement ils y retrouvent Marc Hautbuisson, mais les deux dernières personnes qui manquaient au tableau pour que la joie d'Élyse soit complète : Jacques et Danielle.

— Qu'est-ce que vous faites ici ?

— Nous sommes des frontaliers, Élyse. Horace nous a tout expliqué et nous a invités à visiter les sphères.

— Et vous n'êtes pas allés plus loin que Thalassa ?

— Non, Élyse. Parce que sur Thalassa, nous avons retrouvé ton frère. Notre bonheur était complet. Nous ferons le reste de la visite une autre fois.

— Et toi, Marc?

— J'aurai tout le temps de voyager. Je préférais t'attendre ici quand j'ai appris que tu revenais de ta mission.

Épilogue

Rien, en apparence, n'a changé au bord de la Rivière-aux-Souches, entre le ruisseau Delorme et le Rapide-à-Lampron.

Il y a pourtant quelques petites différences.

Horace ne pêche plus seul. Il taquine le doré en compagnie de Jonathan, avec qui il fait des concours. À qui prendra le plus gros. Et quand ils en reviennent, ils racontent des histoires de pêcheurs.

Marc Hautbuisson ne parcourt plus la rivière sur son matelas pneumatique. Il a maintenant sa propre chaloupe. Il fait son apprentissage avec Horace. Il sera un jour maître de bief et, en même temps, agent de liaison.

Son retour a suscité quelque surprise chez les voisins.

On a inventé une histoire. Marc a fait une fugue. Il est revenu.

Mais le noyé?

On ne sait pas qui c'était. La police enquête.

Élyse et Jonathan ont repris la vie qu'ils menaient avant leur aventure.

Quand ils sont seuls, ils se parlent souvent de l'univers des sphères. Ils ont parfois hâte de faire leur translation. Mais ils en arrivent toujours à la même conclusion:

— Bah! Ça peut attendre. Nous avons d'abord toute une vie d'amour à partager!

En dessous du vieux saule, il y a toujours un grand héron bleu qui, chaque jour, vient y pêcher sa pitance...